Nº 2

Édition :
Les Éditions de Mortagne
250, boul Industriel, bureau 100
Boucherville, (Québec)
J4B 2X4

Éditeur conseil :
Jacques Languirand
pour

Les Productions Minos Ltée

Diffusion :
Tél.: **(514) 641-2387**
Téléc.: **(514) 655-6092**

Conception de la couverture :
Concept Art inc.

Photo de la couverture :
La Terre : NASA
L'auteur : Image en tête

Dépôt légal :
Bibliothèque nationale du Canada
Bibliothèque nationale du Québec
4e trimestre 1990

ISBN : 2-89074-341-1

1 2 3 4 5-90-94 93 92 91 90

Imprimé au Canada

Préambule

La collection de livres-mosaïques *Par 4 chemins* a été conçue pour me permettre de regrouper de courts essais * sur différents sujets. Or, les circonstances font que dès le nº 2 de cette collection, je propose un *numéro thématique* sur la redécouverte des autres, de l'altruisme.

La redécouverte des autres, de l'altruisme a fait ces dernières années l'objet de recherches, d'études, d'enquêtes..., qui abordent cette question complexe sous tous les angles. Mon intention était au départ de faire état de ces travaux et d'en dégager le sens. Mais je me suis laissé gagner, déborder peut-être, par l'intérêt que m'a paru présenter une réflexion plus globale sur l'ouverture aux autres.

Au cours de l'année que j'ai consacrée à cette question, j'ai eu à quelques reprises l'occasion de l'aborder dans l'émission radiophonique *Par 4 chemins* que j'anime tous les jours de la semaine à la radio de Radio-Canada **, de même que dans quelques conférences. Il m'a semblé que la redécouverte des autres, de l'altruisme soulevait un réel intérêt. Et tout me porte à croire qu'elle en soulèvera encore davantage dans l'avenir, au fur et à mesure qu'il deviendra évident que la crise que nous traversons présentement ne peut être résolue que par un changement profond des mentalités.

* «Essai [...] employé comme titre d'un ouvrage signifie, tantôt que l'auteur effleure simplement différents sujets; tantôt, que l'auteur, bien que traitant un sujet particulier, n'a pas la prétention de l'approfondir, de l'épuiser.» *Quillet*

** Cette émission est diffusée, au cours de la saison 90-91, du lundi au vendredi à 13 h 05 et reprise en fin de soirée à 23 h 05 (14 h 05 et 24 h 05 dans les Maritimes).

L'essai qui a fini par prendre forme, et aussi de plus en plus d'ampleur au point même de devenir le sujet unique du présent numéro de cette collection, est nettement de type *éclaté.* Je souhaite que l'on puisse, malgré tout, y déceler une ligne directrice. Il s'agit dans mon esprit d'une réflexion qui doit inciter à l'action et se traduire par une participation plus altruiste dans le monde. Cette participation m'apparaît, en définitive, comme le moyen le plus sûr de s'atteindre soi-même, car la redécouverte des autres, de l'altruisme est la *voie du cœur,* celle qui permet, ultimement, d'atteindre l'Autre en soi.

D'où le titre de cet essai: *La Voie c'est... les autres.*

J.L.

Je remercie tout spécialement ma collaboratrice
Josée Des Trois Maisons
dont la compétence, le dévouement et la patience
m'ont été précieux pour mener à bien cette entreprise.

LA VOIE C'EST... *LES AUTRES*

«Premièrement, quels sont mes rapports avec les hommes?
Nous sommes tous nés les uns pour les autres.»
Marc-Aurèle, XI-18

À Willis Harman

Physicien devenu futurologue à l'Institut de recherche de Stanford *(Stanford Research Institute – SRI),* le Dr Willis Harman, Ph. D., est depuis quelques années le président de l'Institut des sciences noétiques *(Institute of Noetics Sciences – IONS)* créé par l'astronaute Edgar Mitchell qui est revenu de son expérience spatiale avec la conviction que nous devions désormais poursuivre, parallèlement à l'exploration de l'espace extérieur, celle de l'espace intérieur. («Noetics», du grec *noos:* esprit).

Le travail de recherches et de communications de l'IONS est inspiré par la croyance que l'être humain possède un potentiel qui lui permet d'*être* et de *faire* beaucoup plus que ce à quoi il est habitué.

Le Dr Harman a eu la chance, comme il le dit lui-même, de consacrer seize ans de sa vie à l'exploration du futur. Le Groupe de recherche sur les futurs qu'il a créé au SRI, auquel ont fait appel diverses corporations, gouvernements et agences internationales, avait pour objet la planification stratégique à long terme et l'analyse des politiques.

Parmi ses ouvrages, les plus connus du grand public sont: *An Incomplete Guide to the Future* (éd. IONS) et, en collaboration avec Howard Rheingold, *Higher Creativity – Liberating the Unconscious for Breakthrough Insights* (éd. IONS) *.

À deux reprises, j'ai eu le privilège de coanimer avec cet homme exceptionnel quelques journées de perfectionnement pour les cadres de l'Agence canadienne de développement international (ACDI).

Willis Harman a exercé, depuis quelques années, une influence considérable sur mon cheminement comme en fait foi le présent essai qui s'inspire pour beaucoup de sa propre démarche.

* À paraître prochainement en français sous le titre *La créativité transcendante* (éd. de Mortagne, coll. Par 4 chemins).

TABLE DES MATIÈRES

Avant-propos

Ce matin-là, j'étais à promener mon chien Horus en compagnie d'un ami à qui j'exposai, à sa demande, les grandes lignes de la recherche à laquelle je me consacrais à l'époque, sur la redécouverte des autres, de l'altruisme qui allait prendre la forme de cet essai...

Je lui rappelai donc, car ce discours lui était déjà familier, que dans la situation de crise où nous sommes présentement à l'échelle de la planète, les solutions que l'on envisage paraissent souvent dérisoires, que les intentions sont trop lentes à s'exprimer, trop lentes surtout à se traduire en actes... J'en vins à lui dire que, dans la perspective de «refaire le monde», le nouveau paradigme ne pouvait pas se définir seulement aux plans politique, économique et social... mais qu'il devait nécessairement reposer sur une nouvelle morale, donc sur la redécouverte des autres, de l'altruisme. C'est ce qui nous permettrait, ai-je conclu, d'accéder à un niveau de conscience plus élevé!

«Cosmique peut-être?» lança-t-il avec une pointe d'ironie.

Je dus convenir que le mot cosmique *n'était pas sans susciter chez moi aussi un certain malaise. C'est qu'il se trouve souvent associé aujourd'hui à des entreprises contestables. Je lui rappelai donc qu'une certaine tradition enseigne qu'il existe trois niveaux de conscience: la conscience ordinaire que nous partageons avec les animaux; la conscience d'être ou conscience de soi (niveau auquel on se reporte lorsque l'on parle de l'éveil de la conscience d'être chez l'hominidé); et la conscience cosmique... Quant à moi, je prends le mot dans le sens d'un état transpersonnel, d'un élargissement de la conscience de soi en fonction d'un sentiment de participation à la conscience universelle, qui se traduit par un sens accru de la responsabilité, individuelle et collective, en tant que cocréateurs du monde et de nous-mêmes. D'où l'importance, bref, de la redécouverte des autres, de l'altruisme...*

Il m'écouta patiemment. Puis, après un silence qui me parut très long, il m'offrit le commentaire suivant:

«Je dirais, cher ami, qu'il faut être relativement... désespéré pour en venir à penser que la redécouverte des autres, de l'altruisme est le seul moyen qui puisse nous permettre de traverser la crise actuelle, de «refaire le monde» – ce qui n'est pas rien! – et de parvenir ainsi à un niveau de conscience plus élevé...»

Ce fut dit sur un ton ironique mais courtois. Je compris cependant que je venais à ses yeux de passer résolument dans le camp des utopistes.

«Non pas, ajouta-t-il, la politique et l'économie, la science et la technologie... mais d'abord la redécouverte des autres, de l'altruisme! Tu vois ce que je veux dire?

– C'est qu'il faut, d'abord et avant tout, une transformation des mentalités pour que tout le reste soit possible... Il n'y a, selon moi, qu'un changement profond des mentalités pour nous tirer de l'impasse où nous sommes. Est-ce utopique? Alors qu'il suffit qu'un pour cent de la population se transforme en profondeur... C'est une des lois de la nature: un pour cent seulement. Or, si la tendance exprimée par cette minorité va dans le sens de l'évolution, si elle représente un facteur de survie pour l'espèce, son influence sera déterminante pour la suite du monde... Mais que signifie au juste une transformation en profondeur? C'est là la question. Quant à moi, je ne vois rien d'autre qu'un changement d'attitudes, de comportements envers les autres. Rien d'autre, en définitive, que la redécouverte des autres. Rien d'autre que l'altruisme pour nous tirer de cette impasse...»

Il s'agissait là, selon moi, d'un raisonnement incontournable. Mais il me regarda avec un certain sourire. Qui en disait long... En particulier sur le fait que je pouvais tout dire, avouer même le pire à un ami...

Je n'étais pas insensible à sa critique, car il en va de ma crédibilité! Prétendre que l'on va résoudre la crise actuelle, «refaire le monde» – ce qui n'est pas rien en effet! – et parvenir ainsi à un *niveau de conscience plus élevé, tout cela grâce à la redécouverte des autres, de l'altruisme ne manque pas de paraître utopique...*

C'est du reste la critique que l'on formulait déjà à l'endroit de la vision d'Einstein, qui allait inspirer le Mondialisme, *et à laquelle d'ailleurs se rattache mon entreprise. À quoi il répondait:*

«Avez-vous autre chose à proposer?»

Or, à certains signes, il semble que cette transformation profonde des mentalités soit amorcée.

I – Introduction

DE L'ÉTHIQUE DU «MOI» À CELLE DU «NOUS»

On rappelait volontiers à une époque la réplique que Jean-Paul Sartre mettait dans la bouche d'un des personnages de sa pièce *Huis Clos:* «L'enfer, c'est les autres...» Aujourd'hui, témoignant de la redécouverte des autres, de l'altruisme qui paraît s'amorcer j'ose écrire: «La Voie, c'est les autres...» Bien que le phénomène ne touche jusqu'ici qu'une minorité, il n'en est pas moins révélateur, me semble-t-il, d'une évolution vers une transformation des mentalités, un changement de paradigme [*1].

Il n'y a pas si longtemps nous avons connu, au contraire, un très fort courant d'intérêt pour le *moi,* courant qui est encore loin d'être dépassé par la majorité, en particulier par les *baby-boomers* que l'on a même définis comme la «me-generation». Pour cette génération les autres comptaient assez peu jusqu'ici, chacun s'employant, au mieux, à tirer le plus d'avantages possible pour lui-même; et, au pire, à la contemplation de son nombril...

Le culte du moi représentait, et représente encore aujourd'hui, une manifestation excessive d'un phénomène, par ailleurs valable, que l'on a défini comme «la naissance de l'individu», en réponse aux pressions d'une «société à intégration poussée» – pour reprendre la formule de Bruno Bettelheim [2]. Afin de contrer la menace que fait peser sur lui une telle société, l'individu doit donc s'employer à renforcer son identité en reconnaissant ses besoins et en trouvant à les satisfaire, ce qui n'est pas mal en soi. Mais on en vint rapidement à croire qu'il devait aussi y répondre

* Les chiffres renvoient aux notes en fin de chapitre.

sans égard pour les besoins des autres... D'autant plus que l'individualisme a depuis été récupéré par la société de production/consommation pour devenir une forme de sérialisation des individus au service exclusif des intérêts économiques, qui favorise l'égocentrisme et le narcissisme.

Voici qu'aujourd'hui on commence à comprendre qu'il est capital d'investir davantage dans sa relation aux autres. Cet investissement a non seulement pour effet de contribuer à leur mieux-être matériel et psychologique mais aussi, ce faisant, d'assurer le sien et de favoriser sa propre croissance.

Lorsque nous nous interrogeons sur l'avenir, trois attitudes se dessinent:

- les uns imaginent l'avenir comme un développement du monde actuel et mettent leur espoir dans l'évolution de la science et de la technologie;

- certains redoutent les conséquences de nos choix collectifs, qui risquent d'enclencher un processus de destruction à l'échelle de la planète et une forme de régression de la conscience;

- d'autres, enfin, estiment que, devant l'ampleur du défi que nous devons relever, nous parviendrons à résoudre les problèmes auxquels nous avons à faire face grâce à une **évolution rapide des mentalités.**

Cette dernière attitude est celle qu'adopte le futurologue américain Marvin Cetron [3] qui prévoit dans les années à venir un retournement des valeurs, qu'il décrit comme le passage ***de l'éthique du «moi» à celle du «nous»...***

C'est ainsi, par exemple, qu'il prévoit l'existence d'ici l'an 2 000 aux États-Unis – mais on peut supposer que cette prévision s'applique à nous, du moins quant à l'esprit – d'un *service national obligatoire* de deux ans pour les jeunes, hommes et femmes, comportant trois options: le service militaire, le service social pour les déshérités et le service dans les pays en développement.

Chaque fois que j'ai fait état dans mes conférences d'une telle éventualité, elle a toujours été accueillie avec beaucoup d'enthousiasme. On ressent de plus en plus la nécessité d'une participation active des jeunes, dans une forme ou dans une autre de service social.

Il est vrai que les adultes souhaitent souvent trouver ou provoquer chez les jeunes des attitudes qu'eux-mêmes n'ont pas toujours la rigueur de s'imposer... C'est peut-être ça, le progrès!

DE LA GESTION DU STRESS... PAR L'ALTRUISME

«Nous oublions trop souvent que nous sommes des animaux...»
Fritz Perls [4]

L'être humain est un animal social, le plus social de tous les primates. Ce serait même pour répondre en particulier aux défis posés par le jeu complexe de l'interaction avec les congénères que son cerveau aurait évolué.

Cette interaction, elle se manifeste par deux types de comportement, opposés mais complémentaires, qui ont contribué à la survie et à l'évolution de l'espèce humaine: d'une part *la compétition* et, d'autre part, *l'entraide et la coopération.* Ces deux types de comportement ont forgé au cours de l'évolution un organisme profondément dépendant du groupe.

Les nombreuses recherches faites récemment sur les effets de l'interaction avec les autres peuvent être regroupées en deux catégories selon qu'elles démontrent que la compétition, lorsqu'elle s'exprime par l'hostilité et le cynisme, est souvent à l'origine de maladies et de diverses formes de mal-être physiques ou psychiques; ou que l'entraide et la coopération sont des facteurs d'équilibre et de bien-être... La conclusion de ces recherches peut se ramener dans l'ensemble à l'importance d'une interaction positive avec les autres.

Ces recherches, je me propose de les considérer sous l'angle d'une meilleure gestion du stress, puisque le stress est une réponse de l'organisme aux demandes qui lui sont faites par l'environnement non seulement physique mais aussi psychosocial, comme c'est le cas dans l'interaction avec les autres.

Quelques ouvrages publiés depuis une vingtaine d'années, de même que de nombreux articles parus récemment dans des revues et des magazines font état de ces recherches. Les renseignements que j'ai regroupés dans les pages qui suivent proviennent donc de différentes sources, qui se recoupent quant à l'essentiel. Je vous en propose un collage sommaire [5].

De la compétition... ou *ce qu'il faut éviter*

La compétition a été et demeure un des moteurs de la survie dans l'environnement, tant physique que psychosocial. Une certaine compétition est nécessaire pour trouver sa place, s'y maintenir ou évoluer dans la structure sociale. On ne peut pas nier que la compétition soit un facteur d'évolution tant pour l'espèce en général que pour l'individu.

Cela dit, de nombreuses études récentes montrent que la compétition peut être considérée comme un facteur de maladie et de mal-être lorsqu'elle s'exprime par des attitudes plus ou moins conscientes d'hostilité et de cynisme et qu'elle se traduit par une volonté de réussir *à tout prix.*

Le type «A»

En 1974, deux cardiologues de San Francisco, les docteurs Meyer Friedman et Roy H. Rosenman, faisaient paraître un ouvrage [6] dans lequel ils abordaient la question des attitudes en rapport avec les troubles cardio-vasculaires. S'appuyant sur de nombreuses études, ils concluaient que l'on a identifié un type humain susceptible d'être victime de maladies cardio-vasculaires qu'ils ont appelé *le type A* et qu'ils définissaient comme «une catégorie d'individus qui ont une personnalité particulière et très complexe: une ambition excessive, un sens de la compétition exagéré, une grande impatience et le sentiment harassant de l'urgence de tout. Ces gens semblent se vouer à un combat acharné, sans issu, inlassable, interminable, contre eux-mêmes, contre la société, contre les circonstances, contre le temps, parfois contre la vie elle-même. Ils manifestent une forme d'agressivité diffuse, mais très bien rationalisée; et toujours une très profonde insécurité.»

Le facteur «L»

Bien que l'on ait démontré que la personnalité de type A est liée de façon significative à la mortalité coronarienne, des études plus récentes suggèrent que de toutes les émotions éprouvées par ces personnes, ce sont l'hostilité et le cynisme qui représentent en fait le facteur le plus déterminant, non seulement de maladies cardio-vasculaires mais aussi de différents états pathologiques comme le cancer.

Le Dr Redford Williams, spécialiste en médecine du comportement au Centre médical de l'université Duke, considéré comme un des principaux artisans de cette découverte, explique dans un ouvrage [7] qui fait autorité que les attitudes et les comportements inspirés par l'hostilité et le cynisme représentent un facteur de risque considérable. «Même non exprimés, les *sentiments d'isolement social* (entraînés par ces attitudes) font glisser [...] les réponses hormonales vers [...] l'hypertension, [...] l'artériosclérose et les troubles de la fonction immunitaire.» Le Dr Williams fait état de deux études qui montrent que ces états d'âme négatifs augmentent de quatre à sept fois les risques d'accidents cardio-vasculaires. *Une attitude hostile ou cynique est finalement aussi mauvaise pour le cœur qu'un taux de cholestérol ou une tension artérielle élevés.* Les êtres irritables, agressifs, critiques, dogmatiques, méfiants seraient en général plus sujets à des difficultés d'ordre cardio-vasculaires. Parmi les facteurs de troubles cardio-vasculaires: tabac, cholestérol, alcool, etc., le facteur psychique qu'il appelle *le facteur L* représente même, selon le Dr Williams, une augmentation du risque de l'ordre de quarante pour cent.

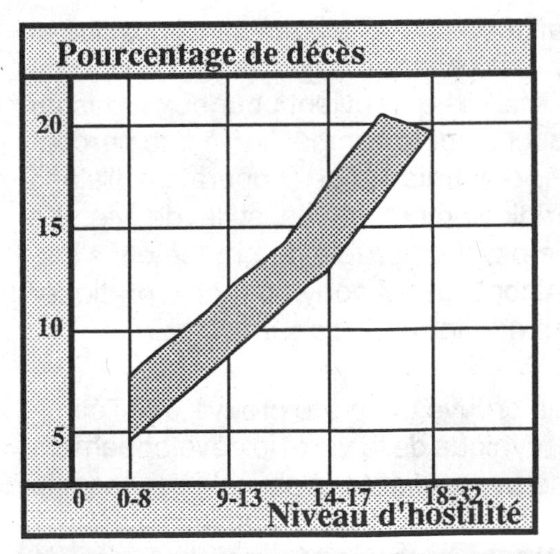

Comme le montre une étude faite à l'université Duke sur une promotion d'avocats dont on avait évalué l'hostilité au moyen de différentes échelles d'attitudes sur une période de vingt ans, la mortalité causée par les maladies cardio-vasculaires est proportionnelle à l'intensité de leur hostilité.

Ce tableau, établi à partir de l'étude faite à l'université Duke, montre la corrélation entre la mortalité coronarienne et le degré d'hostilité.

Pourquoi?

Voici l'explication que nous propose un autre spécialiste, le Dr James P. Henry, professeur à l'École de médecine Charles R. Drew, Los Angeles, Californie [8].

«Le cynisme véhicule l'idée que la conduite humaine est totalement gouvernée par l'intérêt personnel. L'atmosphère qui accompagne cette croyance est celle du doute et de la méfiance. Mais, par ailleurs, les faits montrent que tous ceux qui ont l'ambition de monter dans l'échelle sociale ne peuvent y parvenir qu'en faisant appel à la collaboration des autres.

«Dans un environnement social où la coopération est requise, une attitude cynique et hostile ne peut qu'annoncer l'échec. Ainsi, outre la colère qu'il éprouve à découvrir l'égoïsme des autres, ce sont les réactions de détresse et de désespoir qui attendent le cynique. À mesure que les échecs s'accumulent, ils appellent le déploiement d'un ensemble différent de réponses hormonales, plus mortifère que celui de la simple colère.»

Une thérapie de l'hostilité et du cynisme?

Le traitement de ces attitudes néfastes que sont l'hostilité et le cynisme vise à transformer chez les sujets la perception de l'environnement psychosocial, ce qui revient pour eux à passer d'une perception qui débouche sur la compétition à une perception qui inspire des attitudes d'entraide et de coopération. Il s'agit en somme d'intervenir radicalement sur le style de vie. Le traitement consiste en une psychothérapie de groupe qui s'inspire de la méthode des Alcooliques Anonymes; et à pratiquer certaines techniques telles que la relaxation.

Ce traitement a fait ses preuves. Il a été prouvé que l'élimination d'une vision hostile, cynique de la vie et le développement d'une vision plus décontractée, confiante et amicale est associé à des niveaux moins élevés de mortalité et de morbidité. Lorsque l'on combine cet entraînement avec un régime approprié, la thérapie permet non seulement de freiner la maladie, mais aussi d'améliorer concrètement les obstructions causées par l'artériosclérose coronaire. Après un certain temps, on note que la pression artérielle (mesurée sur les six mois d'interaction sociale postérieurs au traitement) est étonnamment bien maîtrisée.

Il n'y a pas de doute qu'une interaction positive avec les autres est un facteur de santé, ce que démontrent d'autres recherches portant, cette fois, sur les effets bénéfiques de l'altruisme.

De l'entraide et de la coopération... ou *ce qu'il faut favoriser*

De nombreuses recherches récentes ont aussi été faites sur l'effet de l'interaction sociale considérée de l'autre point de vue: l'entraide et la coopération jugées comme facteurs de santé et de bien-être.

On peut affirmer aujourd'hui qu'il a été démontré hors de tout doute que les personnes qui s'emploient à rendre service aux autres, par exemple dans les organisations communautaires, sont en général moins sujettes à la maladie et vivraient plus vieilles... et plus heureuses!

L'effet bénéfique de l'altruisme n'est pourtant pas pour nous surprendre. De tout temps on a observé que pendant les épidémies, ceux qui s'occupent des autres paraissent augmenter leurs chances de n'être pas eux-mêmes atteints par le mal. Il est rare en effet que les médecins, les infirmières, les intervenants en général... soient parmi les victimes. On trouve des exceptions, bien sûr, mais tout porte à croire que, dans de telles circonstances, plus on s'occupe des autres moins il y aurait de risque pour soi. On attribuait dans le passé ce phénomène à l'effet *magique, religieux, surnaturel* du service aux autres, considéré comme une grâce d'état. Mais on est aujourd'hui en mesure d'en proposer une explication plus satisfaisante du point de vue scientifique. Des recherches récentes montrent que les attitudes et les comportements altruistes se traduisent en fait par un fonctionnement neurohormonal optimal qui aurait pour effet de renforcer le système immunitaire et, en général, de favoriser un meilleur fonctionnement de l'organisme.

Voici le résultat sommaire de certaines de ces recherches:

L'altruisme, comme facteur de mieux-être et de longévité

Le Centre d'étude et de recherche de l'université du Michigan a suivi pendant quatorze ans plus de 2 700 habitants de la ville de Tecumseh, afin de savoir si les relations sociales avaient une incidence sur les taux de mortalité. Or, pour la période étudiée, le taux de mortalité était deux fois et demie plus élevé chez les personnes qui n'entretenaient pas de relations sociales suivies.

Un groupe d'épidémiologistes de l'université Yale, au Connecticut, et de l'université de Berkeley, en Californie, ont étudié sur une période de neuf ans plus de 7 000 habitants du comté d'Alameda. Ils ont observé que les personnes vivant seules, ayant peu de parents ou d'amis et fuyant les activités communautaires, avaient un taux de mortalité au moins deux fois plus élevé, indépendamment de la race, des revenus ou du mode de vie.

Des chercheurs ont aussi tenté de déterminer ce qui peut faire d'une vie sociale active un facteur de santé et de mieux-être. Ils en ont découvert l'effet bénéfique sur le fonctionnement neurohormonal, par la stimulation en particulier de l'endorphine, analgésique naturel du cerveau. (Le pionnier de la recherche sur le stress, Hans Selye, pensait déjà dans les années cinquante que l'affection, la chaleur des liens qui se créent avec les gens que l'on aide avaient pour effet de diminuer les tensions.)

En conclusion, il ressort de ces recherches que si le sentiment d'interdépendance de l'animal social que nous sommes se traduit par le service aux autres et une participation au plan social, que ce soit par une activité communautaire ou une relation d'aide et de soutien, cette démarche aura des effets bénéfiques sur la santé physique et psychique.

Le service aux autres ou la participation sociale a non seulement pour effet de réduire les tensions occasionnées par le stress et de diminuer l'angoisse, par le simple fait de détourner de soi une attention souvent névrotique, mais aussi d'alimenter l'estime de soi et de renforcer l'identité.

Je dois préciser ici que des recherches ont toutefois montré que les dons d'argent n'ont pas d'effet positif sur le fonctionnement de l'organisme... Je ne dis pas qu'il faille pour autant renoncer à cette forme de générosité! Elle n'est certes pas sans effet sur d'autres plans. Mais il demeure que le contact humain est nécessaire, indispensable même, pour que l'effet positif de l'altruisme sur l'organisme soit ressenti.

Je précise que le phénomène que l'on définit depuis peu aux États-Unis comme le «syndrome de la compassion» *(compassion syndrome)* m'est connu. Ce syndrome serait aussi, curieusement, l'effet de la participation sociale et du service aux autres, et la cause de bien des états de mal-être tels que le *burn-out*... Je reviens plus loin sur cette question, car on se trouve ici devant ce qui peut apparaître comme une troublante contradiction. C'est même le besoin que j'éprouvai à un moment d'éclairer cette question, sur laquelle j'ai buté à l'époque de mes recherches sur le phénomène du *burn-out* [9], qui a motivé au départ le présent essai.

DE L'ANIMAL SOCIAL...

Comment expliquer que la qualité de l'interaction avec ses congénères soit aussi déterminante pour le bien-être physique et psychique de l'être humain?

Cela tient tout simplement, comme je l'ai déjà signalé, à ce que l'être humain est un **animal social**.

Sans doute faut-il partir d'une constatation aussi élémentaire mais aussi fondamentale, pour comprendre jusqu'à quel point la qualité de nos rapports avec les autres est déterminante.

Autrement dit, l'être humain ne peut trouver à vivre en harmonie avec lui-même que s'il vit en harmonie avec les autres.

... ET DE LA VIE TRIBALE

Pour tout dire, j'en suis même venu à penser que la tribu représente le milieu psychosocial le plus favorable au mieux-être physique et psychique de l'individu. Je devrais plutôt dire une certaine forme de vie tribale, qui reste donc à inventer, car je conçois mal un retour, du reste impensable, à une forme primitive de tribalisme, ce qui supposerait que l'unité de base soit non plus l'individu mais la tribu. L'individu, en tant qu'unité de base m'apparaît comme un progrès.

Malgré l'attrait qu'exerce sur moi un tribalisme revu et corrigé, je n'ai donc pas encore renoncé à prôner l'autonomie individuelle, l'originalité, voire l'excentricité! Je suis toujours de l'opinion que l'affirmation de l'individu par rapport au groupe (tribu, famille...) représente un progrès. La «naissance de l'individu», pour autant que l'on sache, se serait produite au moment de l'éveil de la conscience d'être chez l'hominidé. On peut donc supposer que, depuis, l'évolution se manifeste par une autonomie individuelle de plus en plus grande, car l'individualisation, qui représente une des tendances majeures de l'évolution, se traduit en principe par l'affirmation de l'individu face au collectif. Je serais donc mal venu de préconiser un retour au tribalisme primitif... et telle n'est pas d'ailleurs mon intention. Pourtant, je suis très partagé entre les bénéfices respectifs d'un certain individualisme et d'un certain tribalisme.

Depuis le début de la révolution industrielle, nous avons assisté à une accélération du processus d'individualisation, et ce plus spécialement avec l'avènement de la société de production/consommation. Ce processus s'est alors pour ainsi dire déglingué jusqu'à devenir une forme de *sérialisation:* il en va désormais des êtres comme des objets produits et consommés en série. De toute évidence, l'individualisation dans le contexte socio-économique actuel n'est plus ce qu'elle était. Elle paraît d'ailleurs comporter à présent un risque grave pour l'individu: celui d'être de plus en plus isolé par rapport aux autres et, pour cette raison même, menacé d'aliénation. Le système tend à remplacer de plus en plus le partage, l'échange, l'interaction généreuse des individus, par des rapports mécaniques, bureaucratiques, technocratiques. L'augmentation des états de mal-être me paraît témoigner de ce que, depuis peu, l'isolement de l'individu, son aliénation, n'est plus seulement une menace mais une réalité qui s'impose brutalement à nous.

C'est sans doute en réaction à cette situation que se multiplient, ces années-ci, les entreprises communautaires, les associations et les groupes d'entraide. Au cours des dix dernières années, le nombre de ces organisations a quadruplé... On estime qu'il existe aujourd'hui aux États-Unis plus de 500 000 de ces regroupements qui réunissent chaque semaine plus de 15 000 000 de personnes: depuis *les Prostitué(e)s Anonymes* jusqu'à *l'Association des maniaques dépressifs,* en passant par *les Cambodgiens victimes des Kmers rouges...* Ces regroupements, qui forment de véritables réseaux d'obligations, mettent l'accent sur l'entraide et la coopération, l'échange et le partage[10].

Cette nouvelle tendance me paraît répondre à un besoin collectif inconscient de revenir à une forme de vie plus tribale, en réaction à la structure étatique, impersonnelle de la société actuelle. L'individu trouve dans ces entreprises communautaires, ces associations, ces groupes d'entraide l'encadrement qui lui permet de s'épanouir.

Sans doute faut-il rappeler ici que c'est dans un contexte tribal que la plus grande partie de l'évolution de l'homme s'est déroulée. Pendant longtemps, l'unité de base a été la tribu: un groupe d'individus qui partageaient le même territoire de chasse et de cueillette. L'interaction avec ses semblables a été et demeure, quoi qu'on pense, essentielle pour la survie physique et psychique de l'individu. L'être humain, au fond, est essentiellement tribal.

Dans la société postindustrielle, nous devrons donc réinventer les structures tribales dont l'être humain a besoin, sans pour autant restreindre l'autonomie, l'originalité, voire l'excentricité! La dimension tribale représente en effet un facteur positif de bien-être pour les individus. Un encadrement humain, et non pas bureaucratique ou technocratique, est nécessaire pour l'équilibre: l'entraide et la coopération, l'échange et le partage que permettent les réseaux d'obligations.

Sans pour autant renoncer au progrès que représente l'individualisation et la croissance de l'individu, nous devrons désormais le réinsérer dans une structure plus tribale, afin de surmonter l'obstacle que représente pour l'expansion de la conscience la sérialisation des êtres.

C'est pourquoi, du reste, j'accorde une importance considérable à la tendance au regroupement dans des entreprises communautaires, des associations et des groupes d'entraide. Cette tendance m'apparaît comme un des meilleurs moyens qui s'offrent à nous de transformer le système: de transformer l'*organisation* étatique en *organisme* social et d'assurer une interaction ouverte et généreuse les uns avec les autres.

C'est la voie du cœur.

Ô PARADOXE!

La nature paradoxale, jusqu'ici du moins, de mon entreprise ne m'échappe pas. Je suis tout à fait conscient d'exposer les avantages pour soi-même de l'altruisme, donc d'un point de vue... égoïste!

La prise de conscience de l'effet bénéfique de la redécouverte des autres, de l'altruisme sur la santé physique et psychique, par le biais de la gestion du stress, représente sans doute la première étape d'une démarche que devront éventuellement inspirer des motifs plus nobles...

Mais je suppose qu'à notre époque, encore dominée par l'égocentrisme et le narcissisme, il n'est pas de moyen plus efficace pour inspirer des attitudes et des comportements altruistes que de faire valoir qu'ils sont aussi bénéfiques... pour soi!

Notes et références

[1] Un mot à la mode qui nous vient du grec *paradeigma:* ***modèle*** dont on s'inspire pour réaliser une œuvre, ***plan directeur d'architecte*** ou ***prototype idéal*** servant de guide à un dieu constructeur... On l'utilise aujourd'hui pour signifier une ***vision de l'univers et de l'homme.*** Ce terme fut introduit pour la première fois en 1962 par Thomas Kuhn, historien des sciences et philosophe, dans son ouvrage: *La structure des révolutions scientifiques.*
[2] *Le cœur conscient* (éd. Laffont).
[3] *American Renaissance: Our life at the Turn of the 21st Century* (éd. St-Martin Press, N.Y.).
[4] Un des créateurs de la Gestalt, école de psychologie et de croissance, Fritz Perls a été longtemps l'un des piliers du programme de l'Institut Esalen, en Californie. La phrase citée en exergue m'a été rapportée par un participant à des ateliers de formation gestaltiste animés par Perls.
[5] Parmi les publications consultées, je retiens: un article paru dans la revue *New Age* (nov.-déc. 1988), *The Altruistic Personnality;* un dossier concernant l'altruisme paru dans la revue *American Health* (mars 1988); un autre article de la revue *New Age* (mai-juin 1989), *Type A's, take note: Ambition won't kill you; it's hostility that can be fatal,* Dr Redford Williams; et *Quelles thérapies pour le stress?,* James P. Henry, IN *Les émotions* – le cerveau et les émotions: ce qu'on sait aujourd'hui, *Science & Vie,* (sept.1989, numéro 168, hors-série). Parmi les ouvrages: *Beyond Selfishness,* Allan Luks et Eileen Rockefeller Growald, respectivement directeur et présidente de l'*Institute for the Advancement of Health (IAH),* qui ont aussi fait paraître un article sous le même titre dans *Psychology Today* (oct. 1988); *How can I help,* Ram Dass et Paul Gorman (éd. Alfred A. Knopf); *The Reenchantment of the World,* Morris Berman (éd. Cornell University Press); *Type A Behavior and Your Heart*, Drs Meyer Friedman et Roy H. Rosenman (éd. Alfred A. Knopf); *The Trusting Heart,* Dr Redford Williams (éd. Random House).
[6] *Type A Behavior and Your Heart* (éd. Alfred A. Knopf).
[7] *The Trusting Heart* (éd. Random House).
[8] *Quelles thérapies pour le stress?* IN *Les émotions* – le cerveau et les émotions: ce qu'on sait aujourd'hui, *Science & Vie,* (sept. 89, numéro 168, hors-série).

[9] Voir mon livre *Prévenir le burn-out* (éd. Héritage) paru en France sous le titre *Vaincre le mal-être* (éd. Albin Michel).
[10] Voir l'article *Unite and Conquer,* IN *Newsweek,* (February 5, 1990). De même que, pour ce qui est de ce phénomène au Québec, *Entraide et associations,* collectif sous la direction de Marie-Marthe T. Brault et de Lise Saint-Jean (éd. Institut québécois de recherche sur la culture – IQRC).

II – Pour un nouveau paradigme

Je vous invite à présent à considérer la redécouverte des autres, de l'altruisme d'un tout autre point de vue.

S'il est vrai, comme je le pense, que nous commençons aujourd'hui à redécouvrir les autres, l'altruisme, c'est que du point de vue de l'évolution – de l'espèce, de la société, de l'homme –, la compétition aurait désormais moins de sens, comportant même des risques graves, alors que l'entraide et la coopération offriraient des avantages considérables pour *la suite du monde*... Si cette redécouverte des autres, de l'altruisme est fondée, c'est qu'elle répond particulièrement aujourd'hui à un besoin réel en fonction de notre survie.

C'est seulement la disposition altruiste qui, selon moi, peut nous permettre de parvenir à un niveau de conscience plus élevé, d'imaginer et de créer un nouveau type de société, de civilisation à l'échelle de la planète.

Au moment où nous allons entrer dans le IIIe millénaire, ce facteur m'apparaît donc comme le plus déterminant pour l'évolution de l'humanité.

Si la redécouverte des autres, de l'altruisme s'inscrit, en effet, dans le sens de l'évolution, alors ce phénomène mérite qu'on le comprenne mieux, ce qui, par ailleurs, contribuerait à le renforcer et à l'amplifier.

À une étape de mon cheminement, je me suis donc posé deux questions:

- À quels besoins répond la redécouverte des autres?
- À quels signes peut-on présumer que le nouveau paradigme est... *altruiste?*

À QUELS BESOINS RÉPOND LA REDÉCOUVERTE DES AUTRES?

«Nos dispositions actuelles, économiques, sociales et internationales, sont fondées, dans une grande mesure, sur l'absence d'amour organisée. Nous commençons par manquer d'amour envers la Nature, de sorte qu'au lieu d'essayer de coopérer avec le Tao ou le Logos aux niveaux de l'inanimé et de l'infra-humain, nous essayons de dominer et d'exploiter, nous gaspillons les ressources minérales de la terre, nous ruinons son sol, nous ravageons ses forêts, nous versons des ordures dans ses rivières et des fumées empoisonnées dans son air. De l'absence d'amour à l'égard de la Nature, nous passons à l'absence d'amour à l'égard de l'art – absence d'amour si extrême que nous avons efficacement tué tous les arts fondamentaux ou utiles, et institué à leur place diverses espèces de production en série au moyen de machines. Et, bien entendu, cette absence d'amour à l'égard de l'art est en même temps une absence d'amour à l'égard des êtres humains qui sont contraints d'effectuer les tâches, conçues de façon qu'un imbécile ne puisse s'y tromper, et impénétrables à la grâce, qu'imposent nos succédanés mécaniques d'art et la paperasserie interminable qu'entraînent la production en série et la distribution en masse.»
Aldous Huxley [1]

La disposition altruiste apparaît comme la solution à un très grand nombre de problèmes auxquels nous devons faire face.

Je dois dire qu'au moment où je m'apprête à évoquer, même brièvement, la crise actuelle de civilisation afin de démontrer que seule la redécouverte des autres, de l'altruisme peut la résoudre, j'éprouve une certaine lassitude... Elle tient sans doute à une fatigue des mécanismes d'adaptation, au sentiment d'impuissance peut-être, que l'on éprouve devant la liste des choses à faire, à commencer par *le ménage dans sa cour!* et qui se traduit par un épuisement des facultés de réflexion.

L'évocation qui suit est le résultat d'un curieux exercice que je vous suggère de faire pour vous-même. Il consiste à procéder à une lecture rapide d'un journal (ou de plusieurs), une lecture «en diagonal» comme on dit parfois, et à trouver pour le plus grand nombre d'informations possible le mot qui paraît le mieux recouvrir la problématique dont elles témoignent.

L'*explosion démographique.*

L'*isolement* des individus: l'absence de communauté et le manque de communication interpersonnelle qu'elle entraîne.

L'*urbanisation:* le monde transformé en *mégalopolis.*

L'*homme de la foule.*

Le *gigantisme.*

L'*anonymat* qu'entraîne le gigantisme, celui des villes mais aussi celui des systèmes, de l'État en particulier.

Le *système,* devenu trop rigide, bureaucratique, anxiogène.

L'*individualisation* qui devient une forme de *sérialisation* des individus et la disparition relative du partage, de l'échange, de l'interaction généreuse.

La *ségrégation* des âges, alors que les générations sont de plus en plus coupées les unes des autres.

Le *pluralisme* de nos sociétés, alors que les races, les ethnies se heurtent faute d'une véritable communication, les mentalités n'étant pas assez évoluées.

L'*intolérance* qui devient intolérable...

La *guerre* qui devient impossible. Les moyens dont nous disposons pour la destruction sont trop puissants: ils représentent désormais une menace pour notre survie même.

Le *racisme* qui devient aussi impossible, la planète étant de plus en plus petite.

L'*éclatement* de la famille, du couple, de l'individu même.

L'indifférence comme système de défense.

Le *manque d'éthique* chez les élites.

L'*aliénation:* l'interpénétration des cultures fait que les autres sont partout, que nous et les autres se confondent. Ne sommes-nous pas nous-mêmes devenus... *les autres.*

La *compétition:* elle favorise l'exploitation et entretient les inégalités. (Près de soixante-dix pour cent de la population connaît un état de dénuement. Des centaines de millions de personnes appartiennent désormais à ce que l'on appelle le *quart-monde.* Pourtant, quatre-vingt-sept pour cent des ressources de la planète sont consommées par moins de dix pour cent des hommes...)

Etc.

Ce portrait est trop impressionniste pour être juste... C'est qu'il devient de plus en plus difficile de contenir la réalité dans une description, alors qu'elle éclate de partout.

Quoi qu'il en soit, c'est en résumé ce à quoi la redécouverte des autres, de l'altruisme paraît répondre: au besoin de recréer des liens entre les êtres, de recréer une communauté humaine à tous les niveaux: local, régional, planétaire... De redéfinir la société par rapport à l'État, de façon à mieux satisfaire les besoins matériels mais aussi psychologiques des humains. Bref, de rendre la vie humaine.

Autrement dit, il paraît aujourd'hui impérieux de retrouver le sens de l'entraide et de la coopération qui ont jusqu'ici contribué (plus que la compétition nous disent de nombreux chercheurs) à l'évolution de notre espèce.

À QUELS SIGNES PEUT-ON PRÉSUMER QUE LE NOUVEAU PARADIGME EST... *ALTRUISTE?*

«Tous pour un, un pour tous!»

Parmi les signes qui permettent de penser qu'une révolution au niveau des mentalités est amorcée et que nous évoluons effectivement vers un nouveau paradigme qui serait... *altruiste,* j'en retiens trois:

- la nouvelle vision que la science, en particulier la physique et l'astrophysique, nous propose de l'univers: une vision holistique (du grec *holos:* entier) selon laquelle rien dans l'univers n'est isolé, tous les éléments étant interdépendants, solidaires les uns des autres. Cette vision est définie par certains scientifiques comme la ***seconde révolution copernicienne;***

- les technologies de télécommunication qui sont comme une concrétisation de cette vision holistique, formant des réseaux à l'échelle de la planète, ce que l'on définit comme le ***«village global»,*** et l'effet de ce phénomène sur les mentalités;

- l'influence déterminante du Mouvement de libération de la femme qui demeure de toute évidence l'un des principaux moteurs de la transformation des mentalités et plus particulièrement de la redécouverte des autres, de l'altruisme, car nous dit le poète: ***«L'avenir de l'homme... c'est la femme!».***

La *seconde révolution copernicienne*

> **«Tandis que la première révolution copernicienne avait transformé nos conceptions sur l'espace extérieur, la seconde va transformer notre vision de 'l'espace intérieur', apportant avec elle une conceptualisation nouvelle des motivations ultimes de l'homme et des valeurs universelles.»**
> Willis Harman [2]

La «seconde révolution copernicienne» est l'un des thèmes sur lesquels Willis Harman (voir la dédicace du présent essai) revient inlassablement depuis des années dans ses interventions publiques. Avec de nombreux scientifiques, motivés comme lui par la gravité de la situation et devenus philosophes et communicateurs par la force des choses, Willis Harman estime que la vision holistique que suggèrent la physique et l'astrophysique est au cœur du changement de paradigme.

Cette vision, qui devrait influer de plus en plus sur l'évolution des mentalités, est essentiellement... altruiste.

Avant Copernic, l'homme avait de l'univers et de sa place dans l'univers une vision magique: les choses paraissaient se tenir entre elles par l'effet d'une cause mystérieuse dont la nature échappait à l'entendement. Mais avec Copernic, à partir de l'observation du mouvement des astres et de leurs rapports entre eux, une nouvelle vision s'est imposée: une vision mécaniste de l'univers perçu alors comme un vaste mouvement d'horlogerie, avec ses rouages et ses engrenages. Cette vision mécaniste, elle subsiste encore aujourd'hui. C'est elle qui règle le fonctionnement de la plupart de nos systèmes hiérarchiques et linéaires, de même que nos modes de penser. Pourtant, la vision que nous propose aujourd'hui la science, en particulier la physique et l'astrophysique, donc à partir de l'observation de la réalité aux niveaux de l'infiniment petit et de l'infiniment grand, est celle d'un univers non plus hiérarchisé, d'un fonctionnement non plus linéaire, mais d'un univers dont tous les éléments sont reliés entre eux et interdépendants. On ne parle plus d'ailleurs de matière mais d'énergie et d'information, certains scientifiques parlant même d'une conscience universelle, rejoignant en cela la vision que proposent les écoles de sagesse orientales.

C'est la vision holistique.

On peut dire que cette nouvelle vision est *altruiste* en ce sens qu'elle suppose que, dans tout ensemble, aucun élément ne peut être pris isolément (si ce n'est par abstraction) mais en fonction de son interaction avec les autres. La structure qui relie les éléments entre eux étant même l'effet de leurs interrelations.

L'un des modèles holistiques proposés par la physique qui me paraît le mieux illustrer cette révolution dans le contexte d'un essai sur l'altruisme, pouvant même être interprété métaphoriquement – et non sans une pointe d'humour d'ailleurs! –, est la théorie dite de «la lanière de botte» *(bootstrap theory),* selon laquelle... «la nature ne peut être comprise que dans son autoconsistance, chaque élément ou composant étant consistant avec lui-même et avec tous les autres.»

Le physicien Geoffrey Chew qui a conçu cette théorie la résume dans une formule provoquante mais néanmoins juste du point de vue scientifique: «Chaque particule consiste en toutes les particules. Les hadrons (ou particules lourdes du noyau atomique) sont des structures composées dont les composants sont à nouveau des hadrons dont aucun n'est plus élémentaire que les autres. Chaque hadron est maintenu par des forces associées avec l'échange d'autres hadrons dont chacun, à son tour, est maintenu par des forces émanant du premier hadron. Ainsi, chaque particule aide à créer les autres particules qui la créent elle-même: la globalité des hadrons s'autogénère de cette façon et, en quelque sorte, *se tire par ses lanières de botte.»*

Il serait difficile de trouver un meilleur modèle de solidarité et d'interdépendance!

L'univers apparaît donc comme une trame d'événements interreliés; aucune des propriétés d'une partie de la trame n'est fondamentale: elles sont toutes générées par les propriétés des autres parties; enfin, **ce sont les interrelations des parties qui déterminent la structure même de la trame entière.**

Ce phénomène n'est pas sans évoquer par analogie la constatation que faisait l'empereur et philosophe Marc-Aurèle: «Nous sommes tous nés les uns pour les autres»... Et, par ailleurs, le cri de ralliement des *Trois Mousquetaires...* mais à l'échelle cosmique: «Tous pour un, un pour tous...!»

C'est en physique puis en astrophysique que cette nouvelle vision s'est d'abord imposée, entraînant une véritable révolution qui s'étend désormais à tous les domaines de la connaissance. Au moment où nous allons entrer dans le IIIe millénaire, cette vision holistique devrait exercer une influence considérable sur les mentalités.

Doit-on pour autant parler de l'influence sur les autres sciences des découvertes faites en physique ou bien la vision s'est-elle imposée d'elle-même d'abord en physique, puis dans d'autres disciplines, la psyché collective étant parvenue à un niveau de conscience auquel cette vision pouvait se manifester? Quoi qu'il en soit, on constate que dans la plupart des disciplines, la vision holistique s'impose de plus en plus. Elle a même donné naissance ou favorisé le développement de nouvelles disciplines qui jouent aujourd'hui un rôle capital dans nos vies: la cybernétique (science générale des systèmes), la systémique (ou théorie des systèmes) mais aussi, plus proche de nos préoccupations quotidiennes, l'écologie (science de l'écosystème ou de l'interdépendance des systèmes vivants) et l'informatique (science du stockage, du traitement et de l'échange d'informations)... Il s'agit ici de sciences de la *communication* qui reposent sur l'**inter**action, l'**inter**connexion, l'**inter**relation, l'**inter**dépendance... Mais ce modèle s'impose désormais dans tous les domaines de l'activité humaine, que ce soit par exemple dans celui de la santé où il inspire une approche holistique ou encore dans celui de l'entreprise où l'on parle d'écogestion, etc.

Cette nouvelle vision, pourtant, ne va pas sans rencontrer une certaine résistance, car il faut bien reconnaître que nous continuons le plus souvent de penser et de vivre selon le modèle mécaniste. La crise actuelle, du reste, traduit précisément la tension entre les deux paradigmes, je dirais même une incompatibilité. Mais cette résistance est tout à fait normale. On ne change pas de paradigme... comme on change de chemise.

Il aura fallu à peu près deux siècles pour que s'impose la vision de l'univers suggérée par le modèle de Copernic qui devait se traduire par la prédominance du modèle mécaniste, non seulement dans les sciences mais dans tous les domaines de l'activité humaine, jusqu'à en imprégner les mentalités. Combien faudra-t-il de temps pour que le modèle holistique s'impose à nous jusqu'à imprégner, à son tour, les mentalités? C'est là la question.

Le «village global»

«Il est des gens pour argumenter à ce propos (la conscience collective) avec le plus grand sérieux et beaucoup de profondeur de pensée. Soyez des individus, solitaires et égoïstes – voilà leur message. L'altruisme, comme on désigne en jargonnant le bon vieil amour, est pire qu'une faiblesse, c'est un péché, une violation des lois naturelles. Restez isolés. Refusez d'être un animal social. Mais c'est là une position bien difficile à tenir quand on doit se servir du langage pour convaincre de sa justesse. Il faut faire imprimer des tracts, ou publier des livres, il faut les faire acheter, les faire circuler, il faut parler à la télévision et attirer l'attention d'un million d'autres êtres humains d'un seul coup, et, à tous ces gens réunis, à tous ces gens qui vous écoutent simultanément, il faut dire: soyez solitaires; sachez ne pas dépendre les uns des autres. J'admire ceux qui peuvent le faire sans rire ni perdre la face.»
Lewis Thomas [3]

Il me paraît significatif que Lewis Thomas rappelle que le langage est le moyen développé par les hommes au cours de l'évolution pour prolonger l'expérience individuelle et collective. La communication a toujours été un processus d'échange et de partage mais aussi de création de la réalité.

C'est maintenant sous l'aspect des technologies de télécommunication, considérées comme le prolongement du langage à l'échelle de la planète, que je vous propose d'apprécier l'émergence du nouveau paradigme. Le phénomène de la télécommunication est sans doute l'un des plus importants de notre époque, du moins si l'on considère l'évolution du point de vue technologique: il se traduit déjà par l'existence d'une structure planétaire, qui devient quotidiennement de plus en plus complexe et qui a permis l'avènement de ce que Marshall McLuhan appelait le *village global.* La communication a été au cours de l'évolution le mécanisme d'une interaction sans cesse plus poussée jusqu'à constituer aujourd'hui le système nerveux de la planète, grâce aux technologies de télécommunication qui, en prolongeant le langage, se trouvent aussi à prolonger l'expérience.

Pour mieux se représenter l'importance de ces nouvelles technologies et le rôle déterminant qu'elles jouent déjà dans la transformation des mentalités, à commencer par la perception de l'univers et de l'homme dans l'univers, je crois nécessaire de parler brièvement du rapport de l'homme avec l'outil.

On suppose que l'outil existait déjà avant l'apparition de l'homme. C'est en effet ce que montre l'observation des grands singes qui utilisent des pierres trouvées par terre, des bouts de bois, pour casser leur noix. Avec l'homme, l'outil que l'on fabrique, que l'on façonne avec un autre outil, l'outil au second degré, qui est spécifiquement humain, devient abondant et permanent. Faire des outils est, pour l'homme, une nécessité. Comme le fait d'ailleurs remarquer le paléontologue français Yves Coppens [4]: «[...] depuis 100 000 ans, la bascule est faite. Ce n'est plus la biologie qui domine le destin de l'homme. C'est le produit de son cerveau: c'est la culture [...] À un moment, l'acquis devient majoritaire. C'est la technologie qui va répondre aux sollicitations du milieu à la place de l'évolution, de la sélection naturelle. L'évolution biologique n'a plus son mot à dire, puisqu'on répond pour elle. [...] D'un point de vue philosophique, je trouve fascinant que les sciences naturelles, qui ont démontré, sans ambiguïté, l'origine animale de l'homme, soient en mesure aujourd'hui de rendre à l'homme sa dignité, c'est-à-dire cette liberté qu'il a su acquérir de ses propres mains.»

Par ses outils, l'homme se prolonge. Comme l'a démontré Marshall McLuhan dans ses ouvrages, les outils prolongent les sens, les organes, les actions de l'homme. La lunette d'approche, par exemple, prolonge la vue; la pince, le marteau, le tournevis... prolongent la main: l'action de serrer, de frapper, de tourner...; la roue prolonge l'action de marcher, le mouvement... Les outils ont donc permis à l'homme d'agir de plus en plus sur l'environnement, ce qui a fini par entraîner, avec la révolution industrielle, un déséquilibre des systèmes naturels, de l'écosystème de la planète. C'est que la plupart des outils de l'ère industrielle peuvent être considérés, en gros, comme le prolongement de la force musculaire, de l'agressivité pour dominer la nature, mais aussi de la compétition pour dominer les autres. En effet, les outils, en transformant la vision de l'homme et de son rapport avec l'univers ont aussi une influence déterminante sur les mentalités. On finit par se comporter de la façon dont fonctionnent ses outils: ne dit-on pas par exemple d'un entrepreneur qu'il *fonce comme un bulldozer...* ce qui est révélateur de ce curieux effet de mimétisme.

Mais avec les technologies de communication en général et plus particulièrement de télécommunication, nous sommes entrés dans l'ère postindustrielle. Ces technologies prolongent à l'échelle de la planète certaines fonctions du cerveau et du système nerveux: le processus d'acquisition, de stockage, de transformation et de transmission de l'information. C'est donc aussi, en un sens, le processus même de la pensée et, d'une certaine façon, celui de la conscience, qui se trouve ainsi prolongé et amplifié. Certains chercheurs estiment même que ces technologies pourraient être un facteur mutagène, du fait qu'elles accélèrent le processus d'évolution en fonction d'une certaine spiritualisation, et provoquer la naissance de l'homme cosmique.

Il est vrai que l'on peut aussi les mettre au service de la manipulation, de la domination, du despotisme... C'est une question de choix. Tout dépend de l'usage que l'homme, entre l'animal et le Surhomme, voudra faire de sa liberté. Autrement dit, pour revenir à la polarité à laquelle j'ai recourue jusqu'ici pour parler de l'interaction des humains, on peut mettre ces technologies au service de la *compétition,* alors qu'en fait, comme le langage qu'elles prolongent, elles appellent l'*entraide et la coopération.* Le sentiment que nous sommes reliés les uns aux autres s'impose donc de plus en plus. Comme le fait remarquer Gilles Willett [5]: «Le globalisme appelle une éthique de l'autodiscipline et de la contribution au fonctionnement de la société.»

Les technologies de télécommunication représentent une concrétisation de la vision holistique qu'elles contribuent par ailleurs à renforcer. Ces technologies transforment nos perspectives physiques; nous devons maintenant nous employer à transformer nos perspectives psychiques. Lorsque nous créons un tel environnement technologique, nous nous retrouvons dans la situation où nous devons nécessairement, comme le suggère Marilyn Ferguson [6], «changer de paradigme».

Les technologies de télécommunication nous entraînent rapidement vers une société de convergence. La tendance actuelle, comme le fait remarquer Fritjof Capra [7], est l'aboutissement d'un long processus dont nous commençons à peine à prendre conscience: depuis des siècles les humains ont préparé l'état actuel de pluralisme et de convergence qui marque le «temps du changement».

Ces outils d'une ère nouvelle que sont les technologies de communication et plus particulièrement de télécommunication représentent l'occasion de franchir une nouvelle étape de notre évolution au plan des mentalités, de la conscience individuelle et collective, par la redécouverte des autres, de l'altruisme à l'échelle planétaire.

Le mythe de *Gaïa* *

Assistons-nous à notre époque à la naissance d'un nouveau mythe?... C'est ce que donne à penser le mythologue américain Joseph Campbell dans ses entretiens télévisés avec Bill Moyers [8].

Moyers:

«Les scientifiques commencent à parler ouvertement de l'hypothèse *Gaïa.* Selon cette hypothèse, la terre entière est une sorte d'organisme vivant. C'est le retour moderne de la Terre-mère. Est-ce que de cette image surgiront de nouveaux mythes?

Campbell:

– C'est possible. Mais il est aussi difficile de prévoir le cours des mythes que de savoir quel rêve vous allez faire cette nuit. Car, voyez-vous, les mythes et les rêves viennent de la même source. Ils viennent de certaines réalisations qui s'expriment sous une forme symbolique. **Quant à moi, le seul mythe qui vaut la peine d'être considéré dans le proche avenir c'est celui qui parle de la planète; pas d'une localité ou d'un peuple mais de la planète entière avec tous les êtres qui sont dessus. Voilà ce que pourrait être le futur mythe.** Et ce que nous aurons à confronter à travers lui sera la même chose que dans tous les autres mythes: la croissance, l'évolution de l'individu, le passage de la dépendance à l'autonomie, puis à la maturité, puis à la mort. Le nouveau mythe indiquera aussi comment entrer en rapport avec la nature et le cosmos. **La société dont parlera ce mythe sera une société planétaire. Tant qu'il ne sera pas apparu, il ne se passera pas grand-chose.»** [9]

* «*Gaïa* ou *Gè,* la Terre, divinité primitive des Grecs». *Dictionnaire illustré de la mythologie grecque et romaine* (éd. Seghers). *Gaïa* est la Déesse-Terre. J.-E. Lovelock est considéré comme le père de l'hypothèse *Gaïa: La terre est un être vivant* (éd. du Rocher).

«L'avenir de l'homme... c'est la femme!» Aragon

À l'époque où j'écris ces lignes, c'est-à-dire au début de la dernière décennie avant l'An 2 000, je ne sais plus trop, comme tant d'autres sans doute, où en est le féminisme [10]. Mais la question qui m'intéresse plus spécialement ici est de savoir en quoi le féminisme contribue à la redécouverte des autres, de l'altruisme.

Le féminisme, pour tout dire, m'apparaît comme la grande révolution humaniste de notre époque. C'est le mouvement qui, à mon sens, a le plus contribué jusqu'ici à la transformation des mentalités en fonction de la vision holistique. Sans doute parce que les femmes, qui sont naturellement intégrantes et englobantes, accèdent facilement à la vision holistique. Sans doute aussi parce qu'elles sont naturellement altruistes.

La situation faite aux femmes ces années-ci ne manque pas d'être paradoxale. Elles doivent s'adapter aux structures d'une société dont les valeurs sont encore surtout masculines, ce qui paraît entraîner chez elles une certaine masculinisation, alors qu'elles doivent en même temps exprimer leur différence et véhiculer les valeurs féminines. On assiste pourtant à un niveau plus profond, je dirais malgré tout – et comme l'espéraient les idéalistes de ma trempe – à une infiltration du *principe féminin* qui serait en passe de renouveler le système. L'importance, par exemple, que l'on accorde depuis quelques années aux ressources humaines dans l'entreprise me paraît l'effet du féminisme, une manifestation du principe féminin. Je suppose d'ailleurs que c'est seulement lorsque le système se sera redéfini dans ses structures mêmes, en partie du moins, en fonction de valeurs féminines, que la femme pourra enfin y trouver sa véritable place.

Plutôt que de parler des femmes et des hommes, je préfère évoquer, comme je l'ai fait précédemment, l'existence de deux grands principes: le féminin et le masculin, dont l'opposition et la complémentarité se retrouvent en chacun de nous. Je peux ainsi éviter des affrontements inutiles en rappelant que le travail de transformation doit se faire en chacun de nous, car chacun participe effectivement des deux principes, quel que soit son sexe, bien que l'on puisse dire que la femme est le véhicule privilégié du principe féminin, et l'homme, du principe masculin.

De l'opposition et de la complémentarité de ces deux principes, je ne retiens ici que les éléments de définition pouvant se rapporter à la redécouverte des autres, de l'altruisme:

Le principe féminin:	**Le principe masculin:**
horizontal,	vertical,
donc:	*donc:*
les réseaux, le communautaire, l'entraide;	la hiérarchie, la centralisation, la compétition;
ou encore:	
tourné vers le **sujet,** les valeurs de l'en-soi – le principe féminin *est*	tourné vers l'**objet,** les valeurs de l'hors-soi – le principe masculin *fait*

L'opposition en particulier entre *sujet* et *objet* est à mon sens capitale. «Notre société, disait Jacques Attali, pense plus en termes de stockage d'objets que de vécu des rapports.» [11]

Lorsque l'on parle de la redécouverte des autres, de l'altruisme, c'est du sujet dont il est question et du vécu des rapports.

Le principe féminin est celui de l'**empathie,** que l'on appelait au Moyen Âge la *merci.* Cette valeur essentiellement féminine est inscrite dans la personnalité même de la femme qui ne peut pas voir une blessure sans la soigner, qui ne peut pas écouter le récit d'une peine sans en éprouver elle-même de la souffrance... Ce sont, par exemple, des femmes qui ont d'abord pris position contre l'esclavage des Noirs en Amérique. Il est en effet de la nature du principe féminin de libérer, de mettre au monde, de donner naissance. Au moment où nous devons inventer une nouvelle civilisation – rien de moins! – et que doit naître en chacun de nous l'être nouveau, d'un niveau de conscience plus élevé, je dis que c'est la femme qui va le libérer, le mettre au monde, lui donner naissance.

Le principe féminin est aussi celui de la **réceptivité.** La femme, quand le principe masculin (en elle ou de l'extérieur) ne l'asservie pas, est naturellement intégrante: elle rassemble ce qui est épars pour former une unité.

Le principe féminin est, enfin, celui de l'**affectivité** [12]. La meilleure défense contre les pressions d'une société qui menace l'individu dans son identité demeure l'aide au plan affectif. Pour résister à ces pressions, nous devons renforcer les liens de solidarité, d'amitié, d'amour entre les individus. Nous ne franchirons une nouvelle étape de notre évolution que lorsque nous serons conscients, les uns et les autres, d'avoir les mêmes racines et de participer du même Tout.

Au cours de l'évolution, les vertus sociales ont joué un rôle déterminant: vertus de conquête, par le biais de la compétition, surtout chez les hommes; vertus de sollicitude et d'empathie, par le biais de l'entraide et de la coopération, surtout chez les femmes et correspondant davantage à leur nature profonde. Une société qui reconnaîtrait les valeurs féminines reposerait davantage sur le principe de communautés d'entraide que sur celui de la domination, de la compétition, de l'expansion, car le modèle communautaire, qui se traduit par les réseaux d'obligations, répond mieux aux besoins des femmes.

Pour que la révolution se fasse, elle doit d'abord se faire dans les cœurs.

De la convergence

«En n'importe quel domaine, qu'il s'agisse des cellules d'un corps, ou des membres d'une société ou des éléments d'une synthèse spirituelle – l'union différencie. Les parties se perfectionnent et s'achèvent dans tout un ensemble organisé.»
Pierre Teilhard de Chardin [13]

En conclusion de ce chapitre, je veux me reporter à la vision magistrale de Teilhard de Chardin qui apparaît aujourd'hui comme un des grands maîtres à penser, un des prophètes de notre époque.

Le processus d'évolution dont parlait Teilhard de Chardin concerne l'espèce. À un moment, nous devons franchir une nouvelle étape de notre évolution et parvenir à un niveau de conscience plus élevé, à la surconscience ou conscience cosmique, étape comparable à celle de l'éveil de la conscience d'être chez l'hominidé. Or, selon Teilhard de Chardin, cette nouvelle étape de notre évolution sera l'effet de la convergence.

Cette convergence, elle est déjà en marche. Elle participe de tout ce dont j'ai parlé dans ce chapitre: de la vision holistique, de la révolution des technologies de télécommunication aussi bien que de celle des mentalités qui s'amorce, du féminisme et, en général, de tous les phénomènes associés au Nouvel Âge... Teilhard de Chardin faisait déjà remarquer qu'il existe à notre époque une solidarité humaine plus dynamique qu'autrefois qui s'exprime en particulier à travers les institutions que la démocratie a inspirées. Mais il rappelait qu'il s'agit d'un édifice fragile... [14] Il voyait dans cette forme d'entraide sociale, inspirée par un esprit démocratique, une des voies par lesquelles l'humanité allait devenir collectivement moins égoïste et tendre vers ce qu'il appelait le point *oméga,* qu'il définissait comme l'aboutissement de l'évolution, c'est-à-dire le point où la conscience épurée de l'humanité ira un jour, selon sa vision, se fondre dans l'éternel.

Or, l'un des facteurs qui a le plus contribué à l'éveil de la conscience d'être chez l'hominidé et donné naissance à l'homme est, justement, l'entraide et la coopération... Il n'est peut-être pas utopique d'espérer que le même facteur, mais cette fois amplifié par la vision holistique, la révolution des technologies de télécommunication et des mentalités, le féminisme et, en général, tous les phénomènes associés au Nouvel Âge, puisse contribuer, à l'étape où nous sommes, à l'éveil de la surconscience chez l'homme, autrement dit donner naissance à l'homme cosmique.

Nous serions aujourd'hui engagés dans une étape cruciale du processus de convergence alors que les races, les peuples et les nations se consolident et s'achèvent par interaction – et que nous devons y contribuer en pleine conscience. Or, cette obligation qui nous est faite représente peut-être pour nous l'occasion de nous éveiller à la conscience cosmique.

La redécouverte des autres, de l'altruisme apparaît, en définitive, comme le principe même de la **convergence.**

Notes et références

[1] *La philosophie éternelle – Philosophia perennis* (éd. Librairie Plon). Voici la définition que suggère Aldous Huxley de la *philosophie éternelle* ou *pérenne:* «*Philosophia Perennis,* la formule a été créée par Leibniz; mais la chose, – la métaphysique qui reconnaît une Réalité divine substantielle au monde des choses, des vies et des esprits; la psychologie qui trouve dans l'âme quelque chose d'analogue, ou même d'identique, à la Réalité divine; l'éthique qui place la fin dernière de l'homme dans la connaissance du Fondement immanent et transcendant de tout ce qui est –, la chose est immémoriale et universelle. On trouve des rudiments de la *Philosophia Perennis* parmi le savoir traditionnel des peuples primitifs, dans toutes les régions de la terre, et, sous ses formes les plus pleinement développées elle trouve une place dans chacune des religions supérieures.»

[2] *Une seconde révolution copernicienne,* IN *Imaginaire et réalité,* présenté par Jean E. Charon (éd. Albin Michel), dans le cadre du Colloque de Washington.

[3] *La méduse et l'escargot* (éd. Pierre Belfond). Lewis Thomas est biologiste, humaniste et, par ailleurs, cancérologue de réputation internationale.

[4] *Et le singe devint homme,* entrevue de Gérard Petitjean IN *Le Nouvel Observateur,* (22-28 février 1990). Yves Coppens est professeur au Collège de France.

[5] *De la communication à la télécommunication* (éd. Les Presses de l'Université Laval).

[6] *Les enfants du Verseau* – pour un nouveau paradigme (éd. Calmann-Lévy).

[7] *Le temps du changement* (éd. du Rocher).

[8] Un ouvrage a été tiré de ces entretiens pour la télévision éducative américaine (PBS): *The Power of Myth* – with Bill Moyers (éd. Doubleday).

[9] *Une entrevue avec Joseph Campbell par Bill Moyers,* traduction et adaptation de Jean-Guy Girouard, accompagnée d'un court article que j'ai écrit sur l'homme et l'événement, IN *Guide Ressources,* (jan.-fév. 90), vol. 5, nº 3. Souligné par moi.

[10] J'ai écrit sur le féminisme, le phénomène social peut-être le plus important de notre époque, un ouvrage qui me paraît toujours valable dans lequel je souligne l'importance pour notre société de se redéfinir en fonction du principe féminin et des valeurs féminines: *Mater Materia, hommage à la déesse-mère* – le principe féminin, la nature, la matière (éd. Minos).

[11] IN *Fernand Seguin, Le sel de la science* (éd. Québec-Science).

[12] Je prends le mot dans le sens suivant: «Ensemble des phénomènes de la vie affective.» «...les sentiments, les plaisirs et douleurs d'ordre moral.» *Le Petit Robert.*

[13] *Le Phénomène humain* (éd. Le Seuil).

[14] Avait-il prévu que l'entraide sociale allait donner naissance à une grosse machine bureaucratique, véritable «paravent des égoïsmes», pour reprendre le titre du livre du Dr Michèle Barzach (éd. Odile Jacob). Mais sans doute s'agit-il ici d'une crise passagère, car tout dépend, encore une fois, de l'évolution des mentalités...

III – «... entre l'animal et le Surhomme...»

«L'homme est une corde tendue entre l'animal et le Surhomme, une corde au-dessus d'un abîme.»
Friedrich Nietzsche

Cette métaphore s'inspire de la vision mythique selon laquelle l'homme est un être composé de deux aspects: l'animal et le divin. Cette vision duelle suggère qu'il existe entre ces deux aspects, opposés mais complémentaires, une tension qu'il faut assumer. Elle invite à une progression d'un pôle vers l'autre, avec ce que cela suppose de résistance et même de régression à certains moments.

J'en suis pourtant venu à penser, compte tenu de la tendance évolutive vers toujours plus de complexité, que ces deux aspects de notre nature ne sont pas aussi opposés que l'on pourrait le penser: l'animalité et la divinité nous entraînent en fait dans le même sens, vers un dépassement, étant commandées par la même Intelligence, la même Conscience universelle.

Cette métaphore comporte toutefois un troisième terme, car, entre l'animalité et la divinité, il existe bien une réalité *spécifiquement humaine* qui, tout en se définissant en fonction de cette dualité, n'en est pas moins devenue à la faveur de l'évolution un phénomène autonome. L'homme tel qu'il s'est développé depuis l'éveil de la conscience d'être jusqu'à nos jours, à la fois retenu et poussé par son animalité et, par ailleurs, tiré par sa divinité, est aussi le produit de l'évolution culturelle. C'est le *beau risque* de la liberté dont l'homme a hérité avec la conscience d'être. Mais ce cadeau de l'évolution était-il empoisonné? C'est là la question. Laissé à lui-même, l'homme s'est de plus en plus développé par ses propres moyens. Grâce aux outils de son invention, il a créé son environnement qui, en retour, a contribué à le transformer jusqu'à en faire ce qu'il est aujourd'hui: un être capable de choix. Capable, donc, d'aller ou de ne pas aller dans le sens de l'évolution suggéré par le vecteur que représente la tension entre l'animal et le Surhomme. C'est même sans doute ici que se trouve l'obstacle que nous devons surmonter, l'épreuve à laquelle nous devons aujourd'hui faire face, alors que nous avons le pouvoir de résister à la tendance évolutive, à la fois animale et divine, et que nous avançons... **«au-dessus d'un abîme».**

DE L'ENTRAIDE, DE LA COOPÉRATION... ET DE L'ÉVOLUTION

L'altruisme a fait l'objet, particulièrement depuis la fin du siècle dernier, de nombreuses recherches dans des disciplines aussi diverses que la biologie, l'anthropologie, la psychosociologie, la sociobiologie...; mais aussi la psychologie et la philosophie. Cette question complexe ne peut être cernée, de toute évidence, que par une approche pluridisciplinaire.

L'importance que de nombreux chercheurs accordent aujourd'hui à l'altruisme (l'entraide, la coopération, la générosité... – selon les écoles) comme facteur d'évolution a fini par susciter l'intérêt de l'ensemble de la communauté scientifique et du grand public pour cette question.

Les comportements altruistes sont considérés aujourd'hui comme des phénomènes *naturels.* On a donc rejeté, à propos de l'espèce humaine, l'image du *singe nu,* de l'agresseur qui rivalise pour assurer sa survie, soulignant plutôt le rôle capital de la disposition altruiste.

On considère cette disposition comme un facteur d'évolution aussi important sinon plus que la compétition. Des chercheurs estiment même que c'est une forme d'altruisme qui aurait provoqué le passage de l'unicellulaire au multicellulaire; et que, par la suite, au fur et à mesure que les formes de vie sont devenues plus complexes, cette disposition aurait été de plus en plus déterminante.

C'est donc dire qu'à l'étape où nous sommes parvenus aujourd'hui, étape au cours de laquelle «l'humanité est désormais destinée [...] à se complexifier [...]», comme le disait Teilhard de Chardin, l'altruisme est appelé à jouer un rôle encore plus déterminant que par le passé.

Dans les pages qui suivent, je vous propose quelques observations sur l'altruisme, parmi les plus significatives que j'aie trouvées au hasard de ma démarche de vulgarisateur. Ce collage, qui est loin d'être exhaustif, vise simplement à indiquer certaines orientations de la réflexion sur l'altruisme.

Cette réflexion, elle paraît se définir au départ en fonction d'une polarité, correspondant d'ailleurs à celle que suggère Nietzsche, selon que l'on adopte la thèse réaliste ou la thèse idéaliste. Ce débat n'est pas nouveau. Il remonte, comme tant d'autres, à l'Antiquité où déjà s'opposaient ces deux thèses:

- la **thèse réaliste** défendue en particulier par Démocrite (Épicure, puis Lucrèce), selon laquelle la nature humaine doit être considérée en fonction de son animalité;

- la **thèse idéaliste** défendue par Platon, selon laquelle la morale – l'éthique, la disposition altruiste... – découle de principes fondamentaux procédant de ce qu'il appelait *le monde des Idées,* et selon laquelle la nature humaine doit plutôt être considérée en fonction de sa divinité.

L'opposition entre ces deux thèses paraît irréductible. Pourtant, que nous soyons poussés par notre animalité (comme le suggère la thèse réaliste) ou tiré par notre divinité (comme le suggère la thèse idéaliste) ou encore à la fois poussés et tirés..., je dirais que nous n'aurions rien à craindre, aucun de ces deux aspects de notre nature ne pouvant nous entraîner vers l'abîme... Nous serions donc ainsi assurés d'aller dans le bon sens, de traverser la crise actuelle et de nous retrouver éventuellement à un niveau de conscience plus élevé.

Alors, dans ces conditions, où est le problème?

Il réside, encore une fois, dans le fait qu'entre les deux pôles extrêmes de sa définition et bien que son animalité et sa divinité continuent d'influer sur son évolution, ***l'homme est libre*** et capable de choix... pour le meilleur ou pour le pire.

On peut donc considérer l'altruisme de trois points de vue: comme une disposition naturelle, héritée de l'animalité; comme une disposition culturelle, étant l'effet d'une interaction sociale de plus en plus complexe; enfin, comme une disposition inspirée par la divinité...

Il n'y a guère, comme on le verra plus loin, que les théories qui découlent de la sociobiologie qui considèrent l'altruisme d'un seul point de vue, celui de l'animalité. Encore que cette approche ait fait, ces dernières années, l'objet de critiques pour son «réductionnisme biologique excessif» et cela même de la part de chercheurs qui pourtant ne remettent pas en cause la croyance selon laquelle la *science dure* peut expliquer le comportement social de l'homme. La plupart des chercheurs s'intéressent plutôt ces années-ci à l'interaction complexe entre la biologie et le contexte social. Alors que certains estiment que cette interaction n'est pas libérée du déterminisme biologique, d'autres suggèrent qu'à un moment l'évolution a cessé d'être un phénomène naturel pour devenir de plus en plus culturel. Ceci revient donc à dire que les comportements humains, depuis l'éveil de la conscience d'être, seraient de plus en plus l'effet de *choix* de la part de l'*homo sapiens/demens.* Enfin, on trouve chez quelques philosophes l'idée que certains comportements altruistes, dans des conditions exceptionnelles, sont commandés par l'aspect divin de l'homme.

Lorsque j'ai entrepris cette recherche sur l'altruisme, mon intention était de me faire une opinion. Je pense y être parvenu. Je dois dire que ce fut une entreprise ardue, car la recherche d'une certaine objectivité est toujours difficile. Il faut en particulier résister à la tentation de vouloir étayer à tout prix une hypothèse de travail qui bien souvent peut se ramener à une conviction personnelle que l'on n'ose pas afficher comme telle. Je ne sais pas si j'y suis parvenu. Dans quelle mesure toute recherche ne peut-elle pas se ramener à une entreprise de justification? Je sais bien que c'est précisément, en principe, ce que la recherche scientifique veut éviter. Or, l'expérience montre qu'elle n'y parvient pas toujours. *A fortiori* une démarche comme la mienne qui, au départ, n'est pas scientifique... Comment définir en effet une démarche de vulgarisateur qui consiste à trouver des explications, à les juxtaposer de manière à ce qu'elles se complètent, comme on rassemble les pièces d'un casse-tête, bien que l'on se trouve à tout moment devant des contradictions. Quoi qu'il en soit, je crois nécessaire de préciser que ma démarche n'est pas essentiellement intellectuelle mais qu'elle s'inscrit plutôt dans une quête intérieure visant non pas seulement à comprendre mais à *connaître de l'intérieur,* à la suite d'une laborieuse alchimie de la raison et de l'intuition, dans la perspective de se traduire par un art de vivre et un engagement dans l'action.

Chez les animaux: l'entraide, la coopération ... et plus peut-être!

On trouve de nombreux cas d'altruisme chez les animaux.

Voici quelques exemples d'entraide et de coopération chez les animaux, colligés par Jean Prieur [1], qui rapporte en particulier quelques observations de scientifiques, dont Charles Darwin, père de la théorie évolutionniste, et son précurseur, le transformiste Jean-Baptiste Lamarck, observations qui s'inscrivent bien dans le présent contexte.

Darwin signale, entre autres, le cas de vieilles corneilles devenues aveugles et incapables de se nourrir, qui étaient ravitaillées par leurs compagnes; Lamarck, celui de moineaux venus aider une couvée voisine à reconstruire son nid que des chenapans avaient détruit.

Prieur cite plus loin un naturaliste français, Louis-Pierre Gratiolet (1815-1865), chargé du cours d'anatomie et de physiologie comparées à la Sorbonne, qui rapporte dans son traité *Anatomie comparée du système nerveux* ce qu'il considère comme un beau trait d'altruisme animal: «Un cheval d'armes, hors d'âge, très beau et du plus grand feu, ayant eu les dents usées au point de ne plus pouvoir mâcher le foin et broyer son avoine, fut nourri pendant des mois par les chevaux de droite et de gauche qui mangeaient avec lui. Ces deux chevaux tiraient le foin du râtelier, le mâchaient et le jetaient ensuite devant le vieillard.»

Il mentionne aussi, plus près de nous, l'américaine Diane Fossay, qui a consacré sa vie à la défense des grands singes et fut assassinée par des braconniers. Mme Fossay avait observé que les gorilles valides nourrissaient leurs congénères aveugles ou handicapés.

J'ai aussi trouvé parmi les nombreux témoignages rapportés par Prieur celui-ci qui me paraît, comme on dit aujourd'hui, *incontournable:* «En rentrant chez lui, un mineur de Cardiff aperçoit, stupéfait, deux rats qui trottinent lentement côte à côte, un même fétu de paille entre leurs mâchoires. Il assomme l'un des rats avec son bâton et l'autre, au lieu de s'enfuir, reste sur place, désemparé. Le mineur le regarde de plus près et constate que la pauvre bestiole est aveugle.»

Tous ces cas d'altruisme peuvent être expliqués par les théories réductionnistes. Encore que l'explication scientifique nous laisse parfois insatisfaits. Anthropomorphisme sans doute? Pourtant, qu'en est-il des animaux qui ont sauvé des vies humaines souvent au péril de la leur? Bien que l'on puisse prétendre que l'animal espère en recevoir quelque chose en retour, ne serait-ce qu'une marque d'affection, comme un gage de sécurité, ou encore qu'il n'était sans doute pas conscient du risque encourru... Mais a-t-on mesuré la portée d'une telle assertion? Elle revient à dire que l'animal aurait dépassé son instinct de conservation, ce qui n'est pas rien! Pourrait-on alors parler à propos de tels comportements, d'un instinct qui, dans certaines conditions, pousse les animaux supérieurs... *à se dépasser?*

Je me rends bien compte qu'il faut être téméraire pour supposer que la disposition altruiste chez l'animal puisse comporter une dimension qui se définisse au-delà de l'animalité, du moins de l'animalité telle qu'on l'entend en général. Pourtant, la question soulevée ici est capitale. Elle se ramène à se demander si l'évolution n'obéit qu'au hasard et à la nécessité, comme certains le soutiennent encore, ou si elle va, au contraire, dans une direction en fonction d'une finalité (non plus humaine mais universelle) que la vie porte en elle, que toutes les formes de vie portent en elles, comme le pensent un nombre de plus en plus grand de chercheurs?

Il m'apparaît tout d'abord que, dans les comportements altruistes observés chez les animaux, les motivations peuvent être d'une qualité de plus en plus subtile selon le degré où ils se trouvent dans l'échelle de l'évolution, autrement dit au fur et à mesure que la vie se complexifie. Cette observation se rapporte tout simplement à la qualité de l'interaction avec l'environnement, qui par exemple n'est pas aussi dynamique pour une tortue que pour un singe... Bien que les théories réductionnistes permettent d'expliquer des comportements observés à tous les échelons de la vie animale, y compris d'ailleurs à celui où se définit l'espèce humaine, du moins pour ce qui est de son animalité, elles ne permettent pas d'expliquer certains comportements observés aux échelons plus élevés, en particulier chez les êtres humains, mais aussi dans certains cas, sans doute exceptionnels mais pourtant vérifiables, chez les animaux supérieurs. À vrai dire, il devient de plus en plus difficile, lorsque l'on y regarde de plus près, de faire une démarcation nette entre les échelons. Pourquoi?

Sans doute parce que l'on peut observer à tous les échelons, dans des conditions exceptionnelles il est vrai, une mystérieuse détermination en vue d'un dépassement du fonctionnement propre à chaque niveau.

«L'altruisme est peut-être notre attribut le plus primitif...»

Comme le fait remarquer Lewis Thomas, le biologiste et humaniste américain dont j'ai parlé plus haut: «L'altruisme [...] est extrêmement intéressant pour les biologistes. Non pas qu'il commande des comportements bizarres et anormaux. Mais plutôt parce que, dans la plupart des sociétés animales, l'altruisme est capital, contribuant à assurer la continuation des espèces, et que les comportements altruistes se manifestent comme un aspect de la vie de tous les jours. [...]

«L'altruisme est peut-être notre attribut le plus primitif, désormais hors d'atteinte, échappant à tout contrôle. Ou peut-être est-il directement à portée de la main, prêt à être 'déclenché', déguisé, dans nos civilisations modernes, en affection, en amitié, en attachement. Je ne vois rien de déraisonnable à soutenir que des chaînes d'ADN, enroulées sur elles-mêmes dans nos chromosomes, codent l'instinct qui nous pousse à nous rendre utiles. **Le besoin de se rendre utile pourrait bien se révéler le trait le plus déterminant de l'aptitude à la survie, plus important que l'agression, plus efficace, à long terme, que l'instinct d'appropriation.»** [2]

De la générosité et de l'éveil de la conscience

Je ne suis pas le seul à penser que pour traverser l'étape cruciale de l'évolution à laquelle nous sommes parvenus, nous devons nécessairement accéder à un niveau de conscience plus élevé. En effet, le niveau de conscience auquel nous nous définissons aujourd'hui ne paraît pas assez élevé pour nous permettre de résoudre les problèmes auxquels nous faisons face, à une époque où la situation semble même se dégrader de plus en plus. Mais je ne suis pas pessimiste pour autant. Je pense que c'est même précisément l'ampleur du défi à relever qui peut nous permettre d'accéder à un niveau de conscience plus élevé. D'où l'intérêt, me semble-t-il, de nous interroger sur les facteurs qui, à une étape lointaine, ont favorisé chez l'hominidé l'éveil de la conscience d'être.

À propos de ces facteurs, les opinions sont partagées: certains croient qu'une modification profonde de l'environnement a été déterminante; d'autres sont d'avis que les outils ont joué un rôle capital: en particulier le rapport entre la main, prolongée par les outils, et le cerveau; d'autres parlent de l'apparition de nouveaux besoins, comme celui de se déplacer d'un continent à l'autre et de chasser; d'autres, plus audacieux, vont jusqu'à évoquer l'intervention d'extraterrestres venus provoquer cet éveil... Or, certaines de ces conditions, du moins parmi les plus probables, se retrouvent aujourd'hui: une modification profonde de l'environnement, l'apparition de nouvelles technologies et de nouveaux besoins...

Mais de nombreux chercheurs estiment que c'est en fait la tendance altruiste qui a été le facteur le plus déterminant de l'éveil de la conscience d'être chez les hominidés. Richard Leakey, anthropologue dont les travaux font autorité, affirme même que c'est plus précisément la **générosité** qui, à une étape de l'évolution, aurait provoqué cet éveil: «Non pas l'intelligence, précise-t-il, mais d'abord la générosité. C'est-à-dire le partage. Non pas la chasse ou la cueillette, mais l'obligation de partager.» [3]

Nous serions donc devenus humains parce que nos ancêtres ont appris à partager leur nourriture et à échanger des services, formant ainsi ce que Leakey appelle des **réseaux d'obligations.**

«L'évolution se fait par l'entraide»

> **«Si l'évolution s'était réellement effectuée avec la compétition, il y a longtemps que nous aurions été une population de surdoués!»**
> Henri Laborit

Chirurgien et biologiste français qui a, entre autres, conçu le premier tranquillisant, et dont les découvertes ont bouleversé les concepts de la médecine, Henri Laborit répondait aux questions de deux journalistes:

«Croyez-vous vraiment qu'on pourra arriver à abolir toute forme de domination, politique ou autre?

> – Je crois qu'on en arrivera là, forcément. Ou c'est ça, ou c'est la mort de l'espèce. L'évolution se fait par l'entraide. C'est par l'entraide et pas par la domination qu'on est passé de l'unicellulaire au multicellulaire... La défense du territoire, les automatismes du comportement, c'est seulement un apprentissage, ce n'est pas inné. Il faut l'expliquer aux gens, aux enfants surtout. Il faut tout reprendre et ce n'est pas simple.» [4]

Ailleurs:

«Vers quoi pensez-vous que cette compétition va nous mener?

> – Je ne suis ni gourou ou prophète. Moi, ce qui m'intéresse, c'est simplement de comprendre. Or, lorsque je regarde où nous a menés cette compétition, je suis obligé de constater qu'elle n'a apporté qu'un progrès technologique. Sur le plan de la connaissance de l'homme par l'homme, elle n'a rien amené du tout! [...] Si l'évolution s'était réellement effectuée avec la compétition, il y a longtemps que nous devrions être une population de surdoués! Mais les chercheurs, dont je suis, sont de plus en plus nombreux à apporter des preuves du contraire: c'est l'entraide qui a permis l'évolution. Actuellement, la compétition est presque un dieu que l'on honore. C'est traîner bien bas l'esprit humain. Alors je ne peux pas dire ce qui se passera, mais je ne pense pas que cela puisse évoluer tant que l'homme n'aura pas compris comment fonctionne son cerveau, ce que c'est que la mémoire, comment se construit un automatisme culturel, un jugement de valeur... Voilà ce qu'on devrait apprendre aux enfants, dans les écoles.» [5]

De «la conciliation [...] entre le social et le rationnel»

Je poursuivais ma réflexion lorsque le hasard m'a fait découvrir un ouvrage dans lequel j'ai trouvé certains des renseignements que je cherchais... De telles «coïncidences», comme le fait remarquer Arthur Koestler [6], se produisent très souvent dans les activités de création. Tout se passe comme si le fait de soulever les bonnes questions avait pour résultat de faire apparaître les réponses. Koestler va même jusqu'à attribuer ce phénomène à l'intervention mystérieuse de ce qu'il appelle «les anges des bibliothèques».

Voici donc quelques passages de cet ouvrage [7], par ailleurs remarquable, formant pour ainsi dire un collage à l'intérieur d'un collage...

De la 'sympathie' selon Smith...

«Dans sa *Théorie des sentiments moraux* de 1759, Smith considère comme élément principal la *sympathie*»...

> Il s'agit ici d'Adam Smith (1723-1790), économiste et philosophe écossais. À l'occasion d'un séjour en France, il s'est lié avec les encyclopédistes français. Ce détail me paraît important pour la suite. Smith est considéré comme un des pères de l'économie moderne, ayant contribué à jeter les bases de la science économique.

...«qui 'fait que nous avons conscience de l'effet qu'un acte aurait produit sur nous, ce qui fait naître en nous l'accord, ou le désaccord, avec les sentiments qui ont provoqué cet acte.' Pour Smith, il ne s'agit pas d'une 'faculté' [...] mais d'un produit de la vie sociale qui s'est lentement développé au sein de l'humanité.»

> La réflexion de Smith sur l'altruisme est celle d'un philosophe. Il met l'accent sur l'évolution de la vie sociale, sur la culture. Il suggère, en somme, que la sympathie serait l'effet d'un *raisonnement* à partir

des sentiments éprouvés dans une situation donnée, autrement dit de la capacité chez l'homme d'apprécier un ordre de valeurs et de s'en inspirer pour sa conduite. Il me paraît important de souligner ici le moyen qu'il suggère pour favoriser l'altruisme: la raison. Il sera beaucoup question dans la suite de cet essai de la raison pour stimuler la disposition altruiste, en particulier pour éveiller la compassion. On peut aussi ajouter que, compte tenu du libéralisme de sa pensée en matière d'économie, Smith croyait l'homme capable d'une conduite constructive.

... selon Darwin...

«Charles Darwin, dans *La descendance de l'homme* renouvelle cette thèse et considère que la sympathie est 'une partie essentielle de l'instinct social', distincte de l'amour, que l'homme partage avec d'autres espèces animales, et qu'elle est innée, produite par la sélection naturelle. Mais l'homme est 'un être moral, capable de comparer ses actes ou motifs passés ou futurs et de les approuver ou de les désapprouver.' À mesure que l'homme avance en civilisation et que les petites tribus se réunissent en communautés plus nombreuses, la simple raison indique à chaque individu qu'il doit *étendre* ses instincts sociaux et sa sympathie à tous les membres de la même nation... à tous les hommes de toutes les nations et de toutes les races... 'aux infirmes, aux idiots et aux autres membres inutiles de la société.' [...] cette thèse de 'l'élargissement de la sympathie' innocente Darwin des propos racistes et des partis pris inégalitaires qu'ont adoptés, après lui, certains de ses contemporains [...]». [7]

Charles Darwin était un matérialiste, du moins si on se reporte à sa théorie de l'évolution. Mais il n'était pas aussi «réductionniste» que l'on serait porté à le penser; je dirais même: pas aussi «darwinien», et encore moins aussi «néodarwinien» que certains des scientifiques qui se sont depuis inspirés de sa théorie. Bien qu'il considère que la sympathie est «une partie essentielle de l'instinct social [...] que l'homme partage avec d'autres espèces animales», il précise que cette disposition est «distincte de l'*amour*», ce qui n'est pas peu dire. En effet, avec l'amour apparaît la haine et la possibilité de choisir entre les deux. Darwin parle du reste de l'homme comme d'un *«être moral»*. Or, il n'y a pas de conduite morale possible sans liberté.

...et de l'entraide, selon Kropotkine

«Au tournant du siècle, en 1906, P. Kropotkine»...

Il s'agit ici du prince russe Pierre Kropotkine (1842-1921), un personnage fascinant: officier et explorateur, devenu révolutionnaire et anarchiste... ce qui donne à sa réflexion sur l'altruisme un éclairage bien particulier. Mais je crois nécessaire de rappeler que l'anarchisme n'est pas ce que l'on pense généralement. (Anarchie: «doctrine politique qui préconise la suppression de l'État et de toute contrainte exercée sur les individus; le libre jeu des volontés individuelles est le seul fondement possible du bonheur de tous, en même temps que d'un ordre social véritable.» *Quillet)* C'est encore une fois de la liberté de l'homme dont il s'agit ici. Mais avec en plus, chez cet anarchiste, la conviction que l'homme peut faire les bons choix sans qu'il soit nécessaire de l'encadrer politiquement.

... «dans un ouvrage passionnant, *L'entraide, un facteur de l'évolution* (éd. Hachette), reprend, développe la position de Darwin, l'enrichit de multiples observations empruntées au monde animal ou aux sociétés humaines 'primitives' et à leur histoire. Pour lui, 'dans l'évolution du monde organisé, le soutien mutuel entre individus joue un rôle beaucoup plus important que leur lutte réciproque'. 'Plus les individus s'unissent, plus ils se soutiennent individuellement, et plus grandes sont, pour l'espèce, les chances de survie et de progrès dans le développement intellectuel'. Kropotkine considère l'entraide comme 'un instinct de solidarité et de sociabilité humaine', sur lequel se fondent les 'sentiments moraux supérieurs' que sont 'justice et moralité', et qui 'amène l'individu à considérer les droits de chaque autre individu comme égaux aux siens'.

«Les développements plus récents des sciences cognitives n'altèrent en rien les positions de Darwin ou de Kropotkine. [...] la sympathie, ainsi que les conduites d'aide et de coopération apparaissent dans le 'comportement prosocial' de l'enfant à des moments définis du développement. Une logique du 'bien et du mal' peut donc être envisagée, qui retienne comme bon ce qui 'élargit la sympathie', facilite l'entraide, et comme mauvais ce qui la restreint, la rend difficile. Il ne s'agit pas de viser à une quelconque universalité, utilité ou réciprocité. Mais, face à des choix limités et restreints, qui conduisent à une incessante révision des normes [...], il devient légitime d'adopter, de *sélectionner* par la raison, le jugement qui favorise, au moins localement, l'entraide au détriment des luttes individuelles ou collectives, et qui fasse s'exprimer la disposition naturelle de la sympathie, elle-même facteur positif de l'évolution des sociétés humaines. La sympathie, qui fut sans doute un facteur important dans la formation des premiers groupes sociaux d'*Homo sapiens,* sert désormais, par son 'élargissement', à fonder une 'morale de l'Espèce' qui brise les cloisonnements en groupes culturels distincts. Alors se réalise la *conciliation* souhaitée entre le social et le rationnel.» [7]

Dans son commentaire, Jean-Pierre Changeux fait état de ce qu'il définit comme la conciliation entre le social, c'est-à-dire l'instinct social hérité de l'animalité et développé par la culture, et le rationnel. Il souligne, lui aussi, que la capacité spécifiquement humaine de faire appel à la raison a joué, depuis la naissance de l'homme, un rôle important dans l'évolution.

DU DÉTERMINISME *...

«Nous sommes les prisonniers de nos gènes.»
Edward O. Wilson [8]

Je crois nécessaire d'évoquer ici brièvement certaines théories issues de la *sociobiologie.* Cette approche scientifique, qui prétend expliquer la disposition altruiste chez les humains par la dimension biologique, par notre animalité, représente en soi un apport important. Comment ignorer par exemple que nous avons les mêmes chromosomes que les grands singes, *à l'exception d'un seul.* C'est à la fois bien peu mais, en un sens, beaucoup sans doute. Il est certain que l'explication biologique peut contribuer à éclairer nos attitudes et nos comportements. Mais c'est peut-être surtout, me semble-t-il, par le biais de certaines critiques qu'elle a suscitées que la sociobiologie aura, en définitive, le plus contribué à éclairer la question. La vision réductionniste qu'elle propose, résolument déterministe, a en effet provoqué la réaction de nombreux scientifiques, suscitant ainsi une réflexion féconde sur l'altruisme.

La sociobiologie est elle-même une *science,* comme le prétend du moins son fondateur Edward O. Wilson [9], dérivée du néodarwinisme. Il la définit comme «l'étude systématique du fondement biologique de tout comportement social» *y compris le comportement humain.* Telle était du moins l'ambition de la sociobiologie au départ. Mais il semble que Wilson, par suite des critiques que ses travaux ont soulevées et de ses recherches ultérieures, reconnaît aujourd'hui l'apport de la dimension culturelle. Il parle désormais d'une «coévolution de la culture et de la nature», tout en insistant toujours sur la dimension biologique.

* Déterminisme: «Système d'après lequel tout ce qui arrive dans le monde, y compris les actes de l'homme et des animaux, est la conséquence nécessaire des phénomènes antérieurs, conformément aux lois immuables de la nature inanimée ou animée.» *Quillet*

Wilson dira par exemple que «nos gènes nous tiennent en laisse». C'est ainsi que la guerre serait un phénomène que l'on pourrait expliquer par la biologie. «Du moins les guerres limitées, comme celles du passé, qui ne mettaient pas en cause l'ensemble de l'espèce.» Wilson demeure en effet, malgré tout, relativement optimiste sur l'avenir, allant jusqu'à déclarer, par ailleurs, que «notre programmation génétique devrait nous empêcher de nous détruire dans un holocauste nucléaire.» [8] Mais saurons-nous faire la différence entre ce genre de guerre et celles du passé? Je retiens pourtant de cette affirmation que, selon Wilson et d'autres scientifiques avec lui, notre animalité ne représente aucun risque pour *la suite du monde...*

Pour ce qui est de la tendance altruiste, je rappelle qu'elle a toujours posé un problème aux darwiniens: en particulier, le cas d'un individu, humain aussi bien qu'animal, se sacrifiant pour le bien de ses congénères. Alors que chacun devrait préférer la transmission de son propre patrimoine génétique. Mais Wilson explique ce cas extrême par le fait que chacun porte les gènes d'un patrimoine collectif: le sacrifice devient alors logique dans la mesure où, précisément, il permet la prolifération de l'espèce. Je suppose d'ailleurs que c'est la même vision qui alimente l'optimisme de Wilson quant à l'avenir de notre espèce. Mais il s'agit ici d'une de ces extrapolations qu'inspire la sociobiologie qui explique la tendance altruiste en général par l'appartenance à des entités organiques d'ordre supérieur. La cellule fonctionne pour elle-même, mais aussi pour l'organe dont elle dépend et ainsi de suite. On peut donc dire que chaque élément biologique est à la fois égoïste et altruiste. D'où l'hypothèse selon laquelle il en serait de même pour l'être humain qui fonctionnerait à la fois pour lui-même et pour la collectivité sans laquelle il ne serait rien. Chacun agirait donc pour soi et pour les autres, l'être social étant à la fois égoïste et altruiste par nécessité.

J'ai trouvé dans l'enseignement initiatique de George I. Gurdjieff [10] une observation intéressante qui, au premier abord, apparaît comme une illustration des théories issues de la sociobiologie.

«Tu connais le mot anglais *kindness?»* demanda-t-il. Je répondis que oui.

«N'oublie jamais ce mot. C'est un mot très beau et qui n'existe pas dans toutes les langues. Pas en français, par exemple. Les Français disent «gentillesse» [11], ce qui est différent. *Kindness,* vient de *kind,* qui, lui, vient de *kin,* c'est-à-dire «parent, qui est de la même famille, de la même race».

Pourtant, lorsque Gurdjieff suggère sa propre interprétation de ce mot il dira plus loin: *«kindness* veut donc dire traiter quelqu'un comme si c'était nous-mêmes.» Cette définition représente en fait une vision des autres considérablement élargie par rapport au sens étymologique restreint du mot qu'il vient pourtant d'exposer, englobant non seulement tous les hommes mais aussi les animaux... Gurdjieff faisait en effet cette observation dans le contexte d'un exposé sur la façon de se comporter envers les animaux, ce qui du reste l'amène à conclure: «Donc rappelle-toi bien [...] de prendre toujours bien soin des animaux. C'est très important.» [12]

Il m'a semblé que cette observation de la part d'un homme d'un niveau de conscience élevé, que plusieurs considèrent comme un être *éveillé,* pour reprendre l'expression de l'enseignement initiatique, est significative. Elle donne à penser que plus le niveau de conscience est élevé, plus la notion de prochain prend un sens élargi. Elle fait aussi état de la possibilité pour l'homme libéré de ses conditionnements, au moins relativement, d'échapper à l'étroit déterminisme que suggère la sociobiologie.

Du «gène égoïste» ...

Parmi les nombreuses théories issues de la sociobiologie, il s'en trouve une, par exemple, selon laquelle ce serait un «gène égoïste» [13] qui, en définitive, serait la cause de la tendance altruiste. La probabilité d'un comportement altruiste serait donc directement proportionnelle au degré d'apparentement des individus concernés. Dans toutes les espèces, un individu serait d'autant plus enclin à en aider un autre qu'il lui serait plus proche.

De «l'altruisme réciproque»

Une autre de ces théories, celle de «l'altruisme réciproque», est définie par Robert L.Trivers [14]qui l'a conçue comme «l'échange entre individus d'actes altruistes à des moments différents.» Selon cette théorie, dans une société animale, un individu en aide un autre, soit en prévision d'être lui-même aidé en retour, soit de l'être éventuellement par un autre membre de l'espèce. Cette théorie, qui offrirait la meilleure façon de comprendre les liens de parenté, élimine aussi l'idée d'actes désintéressés. Ainsi, un homme qui sauve un autre de la noyade attend qu'on lui rende un service en réciprocité dans d'autres circonstances.

De «l'égoïsme altruiste»

J'ai trouvé cette formule, «l'égoïsme altruiste», dans un ouvrage biographique [15] consacré au Dr Hans Selye, considéré comme le père de la recherche sur le stress. Elle ne représente donc pas comme telle une autre théorie issue de la sociobiologie, mais témoigne plutôt de l'influence considérable que cette discipline devait avoir à un moment dans les milieux scientifiques, surtout auprès de chercheurs appartenant à ce que l'on appelle parfois les sciences dures.

Selye disait volontiers ne pas croire à l'altruisme pur et proposait comme règle de conduite un comportement commandé à la fois par l'égoïsme et l'altruisme: «C'est un instinct naturel chez tous les êtres vivants que de s'occuper d'eux-mêmes. Et tous les principes moraux n'y changeront jamais rien. Mais le désir d'être utile, de faire du bien aux autres, fait aussi partie de cet égoïsme naturel, car nous sommes des êtres sociaux qui avons besoin de ce respect, de cette gratitude. C'est une condition essentielle de notre sécurité en société: personne ne voudra détruire quelqu'un qui lui est utile, ni même lui nuire. Sur le strict plan biologique, il n'y a donc aucune opposition entre l'égoïsme et l'altruisme.»

> **«Vous n'avez de valeur et de sécurité qu'en fonction de vos réalisations passées et de vos capacités actuelles. En d'autres termes, votre valeur est fonction de votre aptitude à 'mériter l'amour de votre prochain'.»**
> Hans Selye [16]

À partir de cette observation, Selye en vient à suggérer un principe de vie que je trouve très valable. Ce principe consiste à adopter soi-même un comportement généreux à l'égard des autres de façon à mériter en retour leur générosité. «La base de mon credo est que l'unique fondement scientifique d'un code naturel donnant des règles de conduite susceptibles de satisfaire, à la fois, nous-mêmes et la société (quels que puissent être les coups heureux ou durs que le sort nous réserve), réside dans le fait de mériter la bonne volonté et l'estime d'autrui. Cela fournit un but d'une valeur incontestable, et si je parvenais à présenter le cas de l'égoïsme altruiste avec une clarté et une conviction telles qu'il devienne la morale de tous les hommes, alors je considérerais que j'ai réalisé la grande œuvre de ma vie.»

Je rappelle que Selye suggère ce principe de vie dans un ouvrage sur le stress. Il estime en fait que le principe de vie qu'il préconise permet de mieux *gérer son stress.* Cette philosophie va dans le sens de recherches récentes, dont j'ai fait état au début de cet essai, qui démontrent qu'une démarche altruiste est un facteur de santé et de mieux-être. C'était déjà la conviction de Selye qui, avec le recul, apparaît comme un pionnier d'une envergure considérable.

Ce principe de vie lui fut inspiré, c'est du moins ce que je pense, par certaines théories qui seront plus tard en partie remises en question, comme on le verra plus loin. Mais il demeure qu'en pratique l'être humain sera toujours partagé entre les tendances égoïste et altruiste. Telle est, quoi que l'on en dise, sa nature profonde dans les conditions qui lui sont faites au plan matériel. Chacun doit assurer sa propre survie. Il s'agit donc de s'employer à le faire sans causer de tort aux autres. *Bon poids, juste mesure.* Il n'est pas exclu par ailleurs d'adopter aussi des attitudes et des comportements désintéressés... du moins pour ce qui est d'intérêts purement matériels. En effet, le désintéressement, comme je l'expliquerai plus loin, ne sous-entend pas que l'on ne retire rien, à un autre niveau, d'un geste altruiste. Ne serait-ce, en particulier, qu'une satisfaction qui alimente l'estime de soi.

Sans compter que l'interdépendance des êtres humains est telle que, même dans la perspective d'assurer sa propre survie, l'*égoïsme bien compris* se traduit nécessairement par des attitudes et des comportements qui seront aussi dans l'intérêt des autres. C'est le cas en particulier ces années-ci pour tout ce qui concerne notre rapport à l'environnement. Quiconque s'emploie, dans les conditions actuelles, à assurer sa propre survie contribue par le fait même à assurer celle des autres.

De l'égoïsme bien compris

J'ai trouvé dans les commentaires sur la Déclaration de Vancouver [17] de Pierre Dansereau, écologiste québécois de réputation mondiale, les passages suivants qui illustrent bien cette interdépendance:

«La conjoncture actuelle est sans précédent. La Déclaration de Vancouver identifie comme une impasse l'orientation économico-politique actuelle et ne voit de réponse à l'irréversibilité de la détérioration de notre planète que dans la solidarité biologique comme motivation essentielle. Il faut utiliser tous les ressorts de l'égoïsme individuel et collectif, bien entendu, puisque la grande nouveauté dans notre histoire, c'est la menace d'auto-extinction rendue possible par l'escalade du pouvoir de l'homme. La sélection naturelle n'avait pas encore habilité une espèce animale au suicide.

«Or, comment croire que l'instinct de préservation, que l'égoïsme 'bien compris' suffiront à résoudre cette crise? Aucune technologie, aucune économie, aucune politique n'y arriverait sans la biophilie, la solidarité et la compassion.»

... Et la morale, bordel?!

«Tout acte, tout geste, toute pensée n'acquièrent une valeur morale que s'ils sont conçus dans une perspective de liberté, que si nous avons la possibilité de les accomplir ou non, que si nous avons le pouvoir de décider en toute autonomie.»
Francesco Alberoni et Salvatore Veca [18]

Les théories issues de la sociobiologie ne sont pas sans fondement. Elles permettent de toute évidence d'éclairer certains aspects des comportements sociaux. Mais peut-on ramener l'étude des comportements sociaux de l'homme au modèle biologique? La science peut-elle résoudre, comme le prétend le scientisme, les problèmes philosophiques? «Nous qu'on appelle les 'scientistes', disait le célèbre biologiste Jean Rostand, ce n'est pas parce que nous laissons l'homme dans la nature que nous avons pour lui moins de respect.» Sans doute, mais doit-on le «laisser» dans la nature? Les critiques que soulève la sociobiologie se ramènent à ce que, précisément, elle prétend expliquer tous les comportements sociaux de l'homme à partir de son animalité, sans tenir compte *aussi* des autres facteurs. La spécialisation comporte souvent le risque d'une généralisation excessive... Edgar Morin, sociologue et philosophe, suggère pour éviter cet écueil d'aborder les grandes questions de façon *complexe,* c'est-à-dire sous trois angles différents: à la fois biologique, sociologique et psychologique.

Ces théories réductionnistes ont expliqué certains «dilemmes sociaux» en tenant pour acquis que les individus n'agissent toujours que mûs par des mobiles égoïstes, estimant que la disposition altruiste est elle-même commandée par l'égoïsme. Ce fait exclut a priori l'étude de facteurs qui seraient vraiment de nature altruiste, cette tendance pouvant être, au moins *relativement, désintéressée...* Selon les théories réductionnistes, il s'agit toujours, en somme, de satisfaire des besoins primaires, autrement dit d'assurer sa sécurité et sa survie. Pourtant, on peut observer que l'être humain est capable d'un altruisme relativement désintéressé, c'est-à-dire qui ne vise pas à satisfaire seulement sa sécurité et sa survie mais aussi, et parfois même exclusivement, des besoins d'ordre psychologique comme celui de renforcer l'estime de soi ou même des besoins supérieurs comme celui de se dépasser. Il n'y a donc pas de place dans ces théories pour le libre choix d'agir ou non, pas de place pour la liberté... pas de place pour la morale.

C'est maintenant de *la part de liberté* dont il va être question: de la liberté de l'homme, de la spécificité humaine *pour le meilleur et pour le pire...* ou encore, pour reprendre la métaphore de Nietzsche qui chapeaute ce chapitre, de «la corde tendue... au-dessus d'un abîme».

Des potentialités biologiques

> **«Nous sommes semblables aux animaux et, en même temps, différents d'eux.»**
> Stephen Jay Gould [19]

Selon Gould, aucune recherche scientifique ne justifie les théories issues de la sociobiologie. «La faiblesse de ce déterminisme biologique est qu'il est faux. L'homme a hérité par la sélection naturelle d'un organe qui échappe à l'évolution: le cerveau. Depuis, l'espèce humaine est la seule capable de s'émanciper des contraintes naturelles.» [8]

Gould oppose au déterminisme biologique, lorsqu'il s'agit de l'homme, ce qu'il appelle les *potentialités biologiques:* «[...] affirmer que les êtres humains sont des animaux n'implique pas que les comportements et les structures sociales qui nous caractérisent sont sous l'influence directe de nos gènes.» [19] Selon Gould, les potentialités biologiques de l'être humain que permet le cerveau sont pratiquement infinies. Ces potentialités rendent d'ailleurs possibles tous les choix, comportant même une certaine ambivalence. «Pourquoi aller imaginer qu'il existe des gènes spéciaux pour l'agressivité, la dominance ou la malveillance, alors que nous savons que l'énorme souplesse du cerveau nous permet d'être agressifs ou pacifiques, dominateurs ou soumis, malveillants ou généreux?» Il reconnaît pourtant que «la violence, le sexisme, la malveillance en général sont bien biologiques puisqu'ils constituent un sous-ensemble de tous les comportements possibles.» Mais le pacifisme, l'égalitarisme et la compassion sont tout aussi biologiques. Il estime donc que **«notre réalité biologique ne fait pas obstacle à la réforme de la société [20]:** [...] peut-être verrons-nous l'influence de nos comportements positifs augmenter si nous réussissons à créer les structures sociales qui leur permettront de s'épanouir.»

Notre structure génétique autorise en fait un large éventail de comportements: tout dépend des choix que nous ferons, poussés par la culture et le libre arbitre: «L'éducation, la culture, la classe, le statut et tous les éléments intangibles qui constituent ce que nous appelons le 'libre arbitre' déterminent nos comportements dans l'ensemble – qui va de l'extrême altruisme à l'extrême égoïsme – délimité par nos gènes.» Cela dit, Gould ne prétend pas pour autant que l'évolution obéit à un plan préconçu. L'homme n'a pas été créé à la suite d'un projet mais il est né par accident, il y a quelque cinq millions d'années: l'évolution, selon lui, n'obéit donc pas à une finalité. Sur ce point, il demeure résolument matérialiste. Sans doute faut-il rappeler ici que la science comme telle ne cherche pas à répondre à la question *pourquoi* mais plutôt à la question *comment.* L'avenir de l'espèce dépendrait donc, en dernière analyse, du bon ou du mauvais usage que nous ferons de la liberté: «Il vaut mieux s'en tenir résolument à une proposition philosophique fondée sur la liberté.» C'est à nous qu'il revient de choisir entre la guerre ou la paix, l'intolérance ou la tolérance... «L'élément essentiel de la bienveillance humaine, affirme Gould, est l'altruisme, le sacrifice au profit des autres, de notre confort personnel, **voire de notre vie, dans des cas extrêmes.»** [20]

C'est donc à nous qu'il incombe de créer les structures sociales qui favorisent l'altruisme à partir d'un projet, d'une vision du devenir de l'humanité.

Le lecteur aura sans doute constaté que je l'entraîne dans une démarche qui va en s'élargissant. Du réductionnisme biologique, nous sommes passés à la question des potentialités biologiques pour maintenant, n'en déplaise à Gould, accéder au finalisme... et même au-delà! Mais je n'avais pas l'intention de cacher la direction de ma démarche. Marshall McLuhan disait qu'il est souvent souhaitable de rendre le lecteur (l'auditeur...) conscient de la structure d'une communication. Mais il demeure que le lecteur est libre, s'il le souhaite, de s'arrêter en chemin à une explication qui le satisfait; ou encore, je dirais même de préférence, de créer sa propre vision à partir des éléments qui m'ont permis de créer la mienne.

... AU FINALISME *

> **«Dès que l'homme intervient, il est impossible de continuer à raisonner en refusant systématiquement le *finalisme;* il nous faut admettre qu'un avenir qu'on ne réalisera peut-être jamais, qui pourra rester virtuel, intervient à chaque instant dans les événements que nous essayons, après coup, d'expliquer.»**
> Albert Jacquard [21]

Les conséquences pour les sociétés humaines de ce que la méthode scientifique peut permettre d'affirmer soulèvent une interrogation. Comme le fait remarquer le généticien et humaniste Albert Jacquard, «[...] l'ambition des sociobiologistes» vise en fait à «établir une correspondance stricte entre le contenu génétique collectif et les attitudes considérées comme 'normales' par une société (par exemple dans la nôtre: le sens de la propriété, la domination des femmes par les hommes, le rejet des étrangers, etc.).» La réflexion de Jacquard vise précisément à nous éclairer sur les erreurs de jugement que peut favoriser une telle théorie dès qu'elle est appliquée à l'espèce humaine: fondamentalement politique, elle risque en effet de se traduire par la façon d'organiser la société. «Affirmer que la xénophobie, le sens de la propriété ou le besoin de dominer sont 'naturels', c'est prendre partie en faveur d'une certaine structure sociale.»

L'explication déterministe, estime Jacquard, ne peut pas s'étendre à l'homme. Elle ne peut pas non plus s'étendre à l'action humaine qui est essentiellement finaliste. La naissance

* Finalisme/finalité: «L'idée de finalité représente un fait complexe: un être tend à une certaine fin ou but, ou bien il est adapté à ce but; le but détermine, dans l'un et l'autre cas, l'existence de l'être et la solidarité de ses parties (c'est pourquoi le but est souvent appelé *cause finale* de l'être)[...] L'origine subjective, anthropomorphique de l'idée de finalité semble incontestable. Le type de la finalité doit être cherché dans l'activité consciente de l'homme qui veut réaliser une certaine fin: la nature de ses actes, leur nombre, leurs rapports réciproques sont alors déterminés par l'idée de ce but à atteindre.» *Quillet*

de l'homme a fait voler en éclats le modèle scientifique, du moins pour ce qui est de son action dans le monde et sur lui-même. Ce n'est plus désormais la nature seule qui détermine l'évolution, mais aussi l'homme devenu le cocréateur du monde et de lui-même.

«La science, rappelle Jacquard, se propose d'expliquer comment les événements d'aujourd'hui dépendent de l'état de l'univers aujourd'hui et hier mais pas de l'état qu'il aura demain. Car la nature n'agit pas en fonction de l'avenir.» S'il est vrai que l'évolution naturelle est déterminée par ce qui a été et ce qui est, il demeure que «l'homme [...] est pétri de projets. [...] Ses actes d'aujourd'hui sont orientés par le demain qu'il imagine et qu'il souhaite.»

La pensée de Jacquard rejoint ici l'approche proposée par la *prospective,* discipline que l'on définit comme la *science de l'action.* La prospective soutient précisément que l'homme doit agir aujourd'hui en fonction de l'avenir qu'il imagine et qu'il souhaite. Pour les prospectivistes, le présent est déterminé non pas par le passé mais par l'avenir, autrement dit en fonction d'une vision, d'une finalité, qui détermine l'action, les choix, l'usage de la liberté.

Jacquard nous invite à «focaliser l'attention sur la spécificité de l'homme», ce qui suppose de renoncer à l'entreprise d'expliquer le présent et l'avenir par le passé, comme le suggère le déterminisme. «Mais, conclue-t-il, est-ce trop cher payer, alors qu'il s'agit d'ouvrir un espace à notre possible liberté?»

Parvenus à cette étape d'une réflexion qui débouche sur la notion de finalité, nous devons pourtant ici reconsidérer la question du réductionnisme mais, cette fois, sous un angle différent.

Du bon et du mauvais usage de la liberté «... au-dessus d'un abîme»

«C'est nous qui avons fait le monde, nous seuls pouvons le changer.»
Stephen Jay Gould [19]

«Être homme, c'est être libre.»
Albert Jacquard [21]

«C'est nous qui avons fait le monde...», rappelle Gould. Si tel est le cas, je dirais que, dans l'état où se trouve le monde aujourd'hui, l'entreprise n'a rien de glorieux. «Être homme, c'est être libre», affirme de son côté Jacquard. Mais quel usage allons-nous faire de cette liberté? J'en viens presque à regretter que les théories réductionnistes ne puissent jamais s'avérer puisqu'il n'y a rien à craindre de notre animalité pour *la suite du monde.*

La nature n'a-t-elle pas su jusqu'ici prendre soin d'elle-même? On n'a jamais vu un animal détruire son environnement ou créer une interaction avec ses congénères qui représente une menace pour son espèce et, en général, pour la nature. Je sais que l'on trouve dans la nature des forces aveugles qui agissent dans l'environnement de façon destructrices, mais elles sont tout aussi créatrices. Ce sont les tornades, les cyclones, les raz de marée, les éruptions volcaniques... De telles forces expriment la loi du changement, dans son aspect le plus terrible, illustrée par la *danse de Shiva,* un dieu à la fois destructeur et créateur de vie. Mais s'il faut recourir à un rapprochement avec de tels phénomènes naturels pour étayer la crainte que pourrait inspirer notre animalité, ce n'est pas très flatteur pour l'espèce humaine!

Je dirais même que si nous devions nous replier sur les théories réductionnistes pour assurer notre survie, tous les espoirs seraient permis. Si seulement une stratégie de survie pouvait effectivement prendre appui sur le *gène égoïste* ou sur l'*altruisme réciproque,* il serait relativement aisé dans la situation de crise où nous sommes aujourd'hui de faire appel en particulier aux technologies de télécommunication, de mobiliser les médias, à la condition que l'on puisse éveiller les leaders d'opinion à cette cause, et de faire valoir ainsi que la survie d'un seul dépend de la survie de tous.

Que la disposition altruiste fut commandée par l'égoïsme ne me gênerait pas. Je serais même personnellement disposé à prêcher pour plus d'égoïsme... si tel était le moteur de la survie. Cette mobilisation serait d'ailleurs d'autant plus aisée que les éléments aujourd'hui les plus menaçants dans le monde sont, curieusement, les plus *civilisés* ou plutôt les plus développés du point de vue technologique, donc aussi les plus faciles à rejoindre.

Mais n'est-ce pas, en un sens, ce que nous faisons depuis déjà de nombreuses années? Dans ces conditions, qu'est-ce donc qui fait obstacle à cette mobilisation?

C'est que l'homme n'est plus hélas! (si je puis dire...) le produit de l'évolution naturelle. Son comportement ne peut plus être expliqué par le seul facteur biologique. Depuis l'éveil de la conscience d'être, l'*homo sapiens/demens* est devenu, et de plus en plus par la suite, le produit de sa culture, le produit pour ainsi dire de lui-même: par la technologie qu'il a créée et le système de pensée qui en a découlé. Le problème ne vient donc pas de ce que l'homme est un animal, et encore moins de ce qu'il est virtuellement d'essence surhumaine ou divine – cela va sans dire; mais de ce qu'il est devenu relativement libre et de ce qu'il n'a pas su jusqu'ici faire un bon usage de sa liberté. En particulier depuis la révolution industrielle qui s'est traduite par l'expansion démesurée du matérialisme et par la pensée mécaniste. De ce qu'il est devenu, autrement dit, une *machine.* Ni animal, ni Surhomme, mais machine.

Si l'homme vient à disparaître, ce ne sera donc pas à cause de son animalité mais par l'effet tragique de sa culture, par l'effet de ses propres outils et de son fonctionnement mécaniste, par le mauvais usage de la liberté dont il a héritée depuis l'éveil de la conscience d'être et, avec elle, de la capacité de déterminer son destin lorsqu'il se trouvait quelque part entre l'animal et le Surhomme.

C'est que l'homme aura sombré dans... l'***abîme.***

DU RÉDUCTIONNISME À TOUT PRIX

Mais sommes-nous aussi libres que certains chercheurs le prétendent? Sans revenir à l'explication biologique des comportements, nous devons aussi nous interroger sur les autres facteurs qui peuvent faire obstacle à la tendance altruiste.

J'ai parlé jusqu'ici du réductionnisme biologique. Mais on trouve des théories tout aussi réductionnistes qui prennent appui sur d'autres disciplines. On peut d'ailleurs observer une forte tendance dans toutes les disciplines à ramener la complexité de la nature humaine à une explication simple, voire même parfois simpliste, à partir d'un seul point de vue. Tout se passe comme si *la part de liberté,* par rapport à tout ce qui en nous serait déterminé, effrayait les chercheurs qui tendent à ramener les comportements humains à une explication aussi simple que possible, tendance que la spécialisation de plus en plus grande a contribué à renforcer.

C'est ainsi que l'on trouve certaines théories en *sociologie,* plus précisément en *psychosociologie,* qui expliquent les comportements humains par l'effet de l'interaction de l'homme avec le milieu psychosocial, et plus spécialement des conditionnements dont il a été et continue d'être l'objet. Selon ces théories, les comportements seraient donc déterminés par le milieu, par les valeurs, par les autres. Cette approche, bien qu'elle ne permette pas d'expliquer tous les comportements, n'est pas non plus sans fondement. Quelle part de liberté reste-t-il à l'homme lorsque l'on sait jusqu'à quel point ses comportements peuvent être déterminés par le milieu psychosocial? Cette thèse n'a plus à être démontrée: les médias font une consommation considérable, jour après jour, d'événements qui illustrent l'effet incontestable du milieu psychosocial sur les comportements. Je ne vais donc pas m'y attarder, si ce n'est pour rappeler que, de toute évidence, si nous voulons *refaire le monde,* nous devrons (aussi) nous employer dans les années qui viennent à créer des conditions psychosociales plus favorables à l'altruisme.

On trouve aussi, par ailleurs, certaines théories en *psychologie* qui tentent d'expliquer les comportements de l'homme par l'influence déterminante de son subconscient ou de son inconscient. (Je reviendrai ultérieurement sur la différence que l'on peut faire entre les deux.)

L'explication psychologique des comportements mérite que l'on s'y attarde davantage. Malgré la vulgarisation de certains principes de psychologie, et bien qu'il existe un courant de psychologie populaire, il demeure que l'explication psychologique est encore loin d'être intégrée dans nos vies. Sans pour autant donner dans le psychologisme, tendance qui prétend expliquer tous les comportements par la psychologie, pas plus satisfaisante d'ailleurs que le sociologisme, cette explication devrait nous permettre de mieux saisir ce qui, en chacun de nous, fait obstacle à la tendance altruiste. C'est ainsi qu'Einstein écrivait un jour à Freud: «Cela rendrait un immense service à l'humanité d'explorer le problème de la paix à la lumière de vos récentes découvertes. Cela permettrait de développer des stratégies beaucoup plus efficaces.»

«Mr Hyde rides again!» [22]

Comme le réductionnisme biologique prend appui sur la pensée de Darwin sans pour autant en reconnaître toute la complexité, le réductionnisme psychologique prend appui sur celle de Freud sans non plus en reconnaître toute la complexité.

De toutes les théories réductionnistes, ce sont sans doute celles que la psychologie a inspirées qui proposent de l'homme l'image la plus maléfique, et ce, depuis la découverte (ou plutôt la redécouverte mais sur des bases scientifiques) de l'existence au niveau du subconscient de motivations obscures. Mais à la différence de ce qui se passe en biologie, il n'existe pas en psychologie de théories réductionnistes à proprement parler. Il s'agit plutôt d'un courant de pensée alimenté, depuis la naissance de la psychologie moderne, par l'exploration des zones obscures de la psyché humaine. Freud, qui est à l'origine de ce courant, proposait de l'homme une image que l'on peut, d'une certaine façon, qualifier de réductionniste. L'homme était, selon lui, un être dont les attitudes et les comportements sont en grande partie déterminés par les aspects affectifs et irrationnels de sa nature; un être fondamentalement égoïste, lié aux autres par la nécessité de satisfaire ses besoins instinctuels. C'est à l'élargissement de cette vision que devait s'employer Jung, ce dont il sera question plus loin.

En fait, on peut dire que la psychologie aujourd'hui nous propose de l'homme une *image duelle,* d'un être divisé, suggérant en cela qu'il est une manifestation particulière de la dualité fondamentale qui préside au fonctionnement de l'univers à tous les niveaux.

Le Cas étrange du Docteur Jekyll et de M. Hyde

Dans un des grands romans de la littérature mondiale, *Le Cas étrange du Docteur Jekyll et de M. Hyde,* Robert Louis Stevenson raconte comment un monsieur distingué, qui est *même* médecin (on ne trouve guère plus respectable qu'un médecin...), le Dr Jekyll, lorsqu'il est sous l'effet d'une potion de sa composition, devient le très maléfique Mr Hyde. Il s'agit ici d'une remarquable métaphore de la double nature de l'homme.

Ce roman, paru au moment où la psychiatrie découvrait le subconscient, a trouvé un écho considérable auprès du public. Il annonçait le début d'une époque qui allait être marquée par la découverte des zones obscures de l'être humain, de «l'aspect Mr Hyde» de la nature humaine.

Comme devait le démontrer la psychologie, la violence se trouve d'abord en chacun de nous. Elle découle précisément de notre aspect obscur: l'agressivité, la destructivité, la cruauté... Comme le bon Dr Jekyll chacun porte en soi le sombre et ténébreux Mr Hyde. Les comportements humains sont souvent commandés en effet par des pulsions agressives ou destructrices dont on est rarement conscient. Ce constat, comme en témoigne la littérature de tous les temps, n'était pas nouveau. Mais ce n'est qu'au début du siècle que l'on proposa une explication scientifique de la dualité fondamentale de l'homme, de l'ambivalence de ses comportements, de la contradiction qui l'habite.

De «la tendance spécifiquement humaine à détruire»

De nombreux chercheurs en psychologie ont fait état de cet aspect négatif de la nature humaine. Parmi ces chercheurs, le psychologue et philosophe Eric Fromm est peut-être celui qui a poussé le plus loin la réflexion sur notre aptitude au mal. Dans un de ses ouvrages [23], il souligne la différence qu'il faut faire entre l'agressivité, qui est défensive, et la destructivité proprement dite, ou la cruauté, qu'il définit comme «la tendance spécifiquement humaine à détruire, à rechercher avidement un contrôle absolu». Cette destructivité serait même l'une des passions humaines, comme l'amour, l'ambition, l'avidité... Bien qu'au départ cette tendance soit naturelle, Fromm estime qu'elle trouve à s'exprimer davantage dans un milieu psychosocial qui met l'accent sur la compétition, la domination et l'exploitation des autres.

De la *projection* *

Dans le contexte d'un essai sur l'altruisme, une réflexion sur le mécanisme de défense que représente la projection s'impose, car ce mécanisme psychologique apparaît comme l'obstacle majeur à l'expression de la tendance altruiste.

* «Mécanisme par lequel on perçoit comme extérieur à soi ce qui se passe en soi-même. [...] Chez l'adulte, la projection devient un mode de défense de la personnalité [...]. Ce moyen de défense consiste à rejeter sur autrui les sentiments pénibles ou interdits qu'on ne peut s'avouer. On croit ainsi se libérer de son mal, d'une façon illusoire.» *La psychologie moderne de A à Z* (éd. La Bibliothèque du CEPL)

«Mécanisme fondamental de la vie psychique par lequel le sujet attribue à autrui ou rejette dans le monde extérieur ce qu'il refuse de reconnaître en lui. Le sujet perçoit alors dans le monde extérieur des caractéristiques qui lui sont propres [...] Pour les auteurs kleiniens, la projection doit être considérée comme notre première mesure de sécurité, notre garantie la plus fondamentale contre la douleur, la peur d'être attaqué ou l'impuissance. Mélanie Klein a mis au premier plan la dialectique de l'introjection-projection, en relation avec des fantasmes d'incorporation et de réjection du 'bon' et du 'mauvais' objet; elle y a vu le fondement même de la différenciation intérieur-extérieur.» *Vocabulaire des psychothérapies* (éd. Fayard)

Pour saisir l'importance de ce mécanisme de défense du moi, qui consiste à attribuer inconsciemment à autrui les sentiments et les désirs insupportables que l'on éprouve soi-même, et pour souligner l'effort considérable que suppose sa conscientisation et sa maîtrise, il faut remonter à la naissance. Depuis la séparation d'avec la mère, l'être cherche à retrouver le sentiment de sécurité qu'il éprouvait avant la naissance. Son interaction avec le monde, avec les autres, l'amène à faire une distinction entre ce qui est source de satisfaction, qui le sécurise, et ce qui est source d'insatisfaction, qui l'insécurise. C'est ainsi qu'il en vient d'une part à *s'identifier* à tout ce qui lui apporte de la satisfaction et le sécurise; et d'autre part à *projeter* sa peur sur tout ce qui lui apporte de l'insatisfaction et l'insécurise. Autrement dit, ce qui lui paraît 'bon', ce à quoi il s'identifie, fait l'objet d'une *introjection;* et ce qui lui paraît 'mauvais', ce qu'il perçoit comme la cause de son angoisse, de sa peur, d'une *projection.*

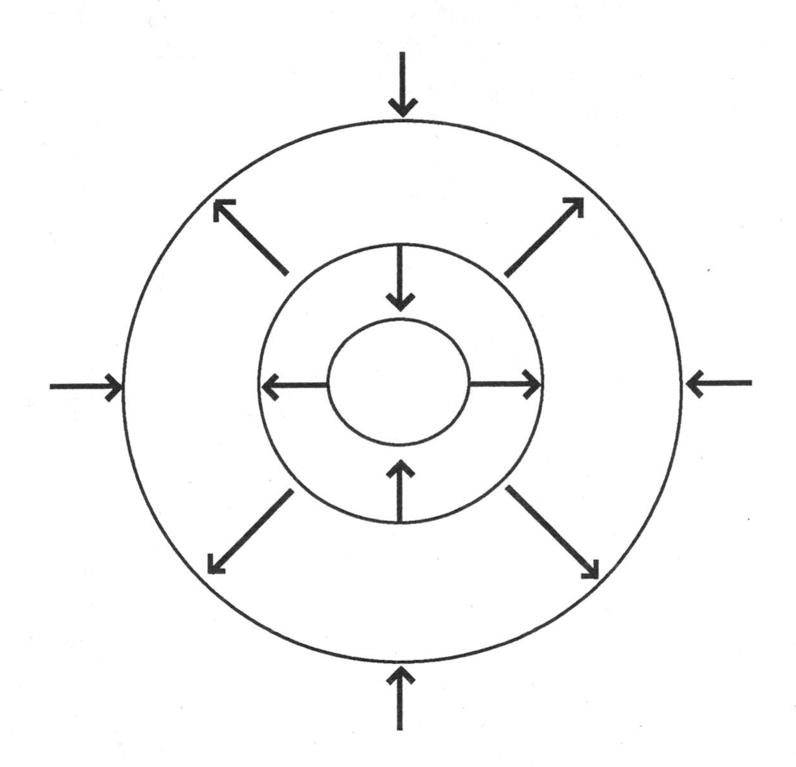

Schématiquement, voici comment on peut se représenter le fonctionnement du mécanisme de l'introjection et de la projection:

Au début de la vie, l'enfant et la mère occupent le centre d'un cercle. Au fur et à mesure de son développement, l'enfant accepte à l'intérieur du cercle tout ce à quoi il s'identifie, tout ce avec quoi il fait *un.* C'est l'introjection. En revanche, tout ce qu'il rejette demeure à l'extérieur du cercle: tout ce à quoi il ne s'identifie pas, tout ce sur quoi il projette ses peurs, ses angoisses. C'est la projection.

À la faveur de l'exploration du monde au fur et à mesure de la croissance, la circonférence s'élargie. Certains éléments sont incorporés à l'intérieur du cercle, alors que d'autres sont maintenus à l'extérieur. L'évolution normale suppose donc que l'on étende de plus en plus la circonférence; et le travail sur soi, en pleine conscience, suppose qu'on l'étende jusqu'à parvenir éventuellement à s'identifier... à l'univers! Mais ce n'est pas aussi simple, car ce cercle correspond au moi dans son rapport au monde. L'individu doit donc *aussi* se préserver de tout envahissement qui pourrait représenter une menace réelle pour son identité, se trouvant alors dépossédé de lui-même, aliéné. On comprend qu'une certaine résistance aux autres soit nécessaire pour se préserver, pour maintenir son identité. Il s'agit toujours de déterminer ce qui fait partie de moi, qui se définit à l'intérieur du cercle, et ce qui fait partie de tout le reste, qui se définit à l'extérieur.

La question de la résistance se pose non seulement pour l'identité personnelle mais aussi pour l'identité collective, *l'autre,* l'étranger ou simplement ce qui est étrange, pouvant représenter une menace réelle pour l'identité collective. Chaque entité a le droit, je dirais même le devoir, de préserver son intégrité. Il faut donc trouver un équilibre entre ce que l'on estime devoir incorporer à l'intérieur du cercle et ce que l'on croit nécessaire de maintenir à l'extérieur. Cela dit, c'est une chose de tendre à un équilibre entre l'ouverture à l'autre et la nécessité de préserver son intégrité, mais c'en est une autre de laisser le mécanisme de la projection déterminer les rapports avec l'autre à partir des contenus du subconscient, des zones obscures de l'être. Aucune relation juste ne peut être trouvée dans nos rapports avec l'autre aussi longtemps qu'ils sont déterminés par la projection. D'où l'importance de se familiariser avec le fonctionnement de ce mécanisme, après quoi seulement la raison peut intervenir dans les rapports avec l'autre.

La raison peut seule permettre d'évaluer objectivement ce qui peut être intégré. C'est grâce à la raison que l'on en vient à considérer comme «identique à soi», et à admettre à l'intérieur du cercle, l'autre sexe, l'autre langue, l'autre race... Mais en même temps, la raison veille à ce que n'éclate pas la structure du moi. Sans oublier, toutefois, que l'on devra éventuellement s'identifier... à l'univers. C'est donc la raison, encore une fois, qui permet de trouver le point d'équilibre. Comme on le verra plus loin à propos de la compassion, la raison, qui est aussi *spécifiquement humaine,* demeure la clé d'une interaction harmonieuse avec le monde, car elle permet de maîtriser l'instinct, d'apaiser les émotions...

Le *diable...* et les autres

Dans l'histoire de l'humanité, le diable a été fort utile... en tant qu'objet pour ainsi dire universel de la projection. Considéré comme la cause de tous les maux, on pouvait projeter impunément sur ce mythe sa propre négativité. Hélas! à notre époque de changement, même le diable n'est plus ce qu'il était...

Mais il reste *les autres* qui ont aussi, depuis la nuit des temps, rempli la même fonction. Il est bien commode en effet d'avoir les autres sur qui projeter l'insatisfaction, la peur, l'angoisse. Si les Juifs, par exemple, n'avaient pas existé, il eut certainement fallu les inventer... Et n'est-ce pas justement ce que l'on a fait?

Mais qui sont, au juste, les autres?

De la xénophobie

Je prends ici le mot au sens large, non seulement de la haine de l'étranger mais aussi de ce qui est étranger, étrange... *.

On doit considérer la xénophobie comme l'expression ultime du rejet de l'autre, de la projection sur lui de nos aspects obscurs.

* Xénophobie: hostilité à ce qui est étranger. *Le Petit Robert*
Haine de l'étrange, de ce qui est étranger. *Quillet*

Les autres, ce sont donc ceux qui ne parlent pas la même langue, qui ne prient pas le même Dieu ou ne fréquentent pas le même gourou, qui n'ont pas la même couleur de peau, qui ne sont pas de la même classe sociale, voire, tout simplement, qui vivent de l'autre côté de la clôture... Ceux auxquels on ne s'identifie pas.

Comme je l'ai mentionné précédemment, certains chercheurs estiment que la xénophobie est *naturelle.* Dans ce cas, on pourrait dire que le fonctionnement de la psyché humaine prolongerait cette tendance biologique, ce qui ferait de l'être humain (comme certains le soutiennent du reste) l'animal le plus dangereux pour les autres... et pour lui-même. Je serais d'ailleurs tenté d'ajouter que si tel était le cas, l'état actuel des choses – je pense ici à nos rapports avec l'environnement mais aussi avec *les autres* en général – ne serait, en définitive, que l'effet de notre nature biopsychologique.

D'autres chercheurs, au contraire, estiment que la xénophobie est *culturelle.* C'est l'explication que suggèrent en particulier certains sociologues. On se trouve ici, encore une fois, devant le dilemme de l'inné et de l'acquis. D'où proviennent les contenus du subconscient? La spécificité humaine consiste-t-elle en une amplification démesurée, au niveau du subconscient, de certaines tendances innées? Je parle d'amplification car, à supposer que certains comportements commandés par le subconscient prennent racine dans l'animalité, il faut bien admettre qu'ils représentent une amplification *spécifiquement humaine:* on n'a jamais vu un animal aussi doué que l'être humain pour l'agressivité, la destructivité, la cruauté... À moins que l'on adopte plutôt le point de vue selon lequel les contenus du subconscient sont l'effet de conditionnements pendant l'enfance et, par la suite, des rapports avec le monde qui les auraient renforcés.

Après avoir écarté l'explication biologique selon laquelle l'homme *n'est que* le produit de ses gènes, nous faudra-t-il adopter maintenant l'explication psychologique selon laquelle il *ne serait que* le produit de son subconscient? Il est relativement aisé en effet de justifier le réductionnisme psychologique et de penser que si l'homme n'est pas déterminé par ses gènes, il pourrait bien l'être par les forces obscures de son subconscient.

Autrement dit, si la xénophonie n'est pas naturelle du point de vue biologique, devrait-on la considérer maintenant comme *normale* du point de vue psychologique? Quoi qu'il en soit, que l'aspect maléfique de l'homme soit l'effet de l'inné ou de l'acquis, dans un cas comme dans l'autre, compte tenu de l'accroissement phénoménal de nos pouvoirs de destruction depuis la révolution industrielle, l'avenir de l'humanité paraît plutôt sombre... C'est d'ailleurs pourquoi lorsque je parle de l'obligation où nous sommes de «refaire le monde», j'ajoute toujours: *en commençant par soi.*

De la peur et de l'anxiété

> **«C'est du difficile qu'il nous faut.»**
> Rainer Maria Rilke

L'étranger ou ce qui est étranger ou étrange suscite donc *normalement* la peur ou l'anxiété. Ces deux émotions sont associées. La différence entre les deux réside dans l'origine de ce qui est perçu comme dangereux. La *peur* est la réponse de l'orga-nisme à un danger réel; l'*anxiété,* à un danger qui peut être réel mais surévalué, ou bien imaginaire, voire inconnu...

Les émotions de peur et d'anxiété que provoque la confrontation avec l'étranger, ce qui est étranger ou étrange, entraînent de nombreuses modifications physiologiques qui constituent en fait une mise en alerte de notre organisme devant le danger, pouvant se traduire par le rejet ou la destructivité.

La peur et l'anxiété sont des avatars des peurs ancestrales qui ont permis à l'espèce humaine de s'adapter et de survivre. Mais le contexte a évolué. Alors que ces émotions peuvent encore permettre dans certains cas de s'adapter et de survivre, elles risquent aujourd'hui, si elles ne sont pas maîtrisées, d'entraîner l'annihilation de l'espèce.

L'entreprise que représente la maîtrise individuelle et collective de la xénophonie est donc considérable. La peur ou l'anxiété qu'elle suscite sont des émotions et, comme telles, commandées par le cerveau limbique... Quelques chercheurs, pour expliquer les comportements humains en général, vont jusqu'à évoquer la possibilité d'une erreur de l'évolution, qui reviendrait pour l'espèce humaine à une condamnation à disparaître à plus ou moins brève échéance. Cette erreur se trouverait dans l'absence d'une intégration véritable des deux cerveaux, du paléocortex ou cerveau ancien, celui de notre animalité, et du néo-cortex ou nouveau cerveau, celui de la spécificité humaine. Faute d'être intégrés, c'est-à-dire de former une entité unifiée, dans la plupart des situations, du moins celles commandées par l'instinct, donc du niveau du paléocortex, l'être humain éprouverait d'abord la pulsion (de colère, par exemple) qui commanderait l'action, alors que le néo-cortex n'interviendrait que... pour justifier et rationaliser cette action. La raison, devenue l'esclave de la subjectivité, se trouve ainsi détournée de sa fonction d'objectivité. C'est peut-être ici la faute la plus grave que puisse commettre l'être humain: la perversion de la raison. Les exemples ne manquent pas hélas! qui donnent un certain poids à cette théorie pessimiste. Sans doute saurons-nous d'ici peu si elle est fondée...

Parvenir à la maîtrise des émotions par la raison, comme le suggère la compassion, suppose donc de parvenir à une intégration du paléocortex et du néo-cortex, c'est-à-dire de réaliser précisément ce que jusqu'ici l'évolution n'a pas réussi à faire par elle-même. C'est beaucoup demander. Cela suppose en effet que l'être humain parvienne à transcender sa nature animale... Mais je rappelle que la nature animale, l'animalité comme telle, n'est pas en soi maléfique. J'éprouve même, d'une certaine façon, le désir de la réhabiliter. Si nous n'étions que des animaux, nous ne serions pas aujourd'hui devant la menace d'une extinction de l'espèce. C'est plus précisément ce que j'ai défini ailleurs comme «l'amplification spécifiquement humaine de l'animalité» que nous devons craindre. Mais il se trouve que nous ne pourrons parvenir à corriger ce désordre que grâce à l'intégration non pas physiologique mais psychologique des deux cerveaux, ce qui aurait pour effet, précisément, de réduire sinon d'annuler ce processus d'amplification. C'est très exacement ce que je veux dire lorsque je parle de *transcender sa nature animale.*

Ce n'est pas rien! Ce sera même sans doute très difficile. Mais, comme le disait le poète: «C'est du difficile qu'il nous faut».

«En dépit d'un préjugé commun, la raison et l'émotion ne sont pas des ennemis naturels.»
Ronald de Sousa [24]

Dans la mesure où nous ne pouvons plus compter sur les deux tendances instinctives qui ont jusqu'ici présidé à l'évolution, d'une part l'entraide et la coopération et d'autre part la compétition, sans encourir le risque de l'amplification spéficiquement humaine de la compétition, nous devons nécessairement faire appel désormais à la raison pour maîtriser les émotions.

Ronald de Sousa fait remarquer que les émotions «n'échappent pas au jugement de rationnalité [...]; elles peuvent être jugées plus ou moins raisonnables, de même que des idées ou des projets. [...]

«Chez l'homme, l'émotion n'est pas seulement une réponse à une situation, mais un projet d'action. [...] la physiologie ne s'intéresse en somme pas beaucoup à cette question des intentions. Or, je crois que cela concerne le jugement rationnel que nous pouvons porter sur les émotions dans le comportement humain. [...] Quand les gens ont certaines émotions qui se rapportent à quelque chose de particulier et qu'ils généralisent ou, au contraire, quand ils ont des émotions générales qu'ils particularisent. [...] Par exemple, si vous êtes de mauvaise humeur parce que vous sortez d'un encombrement de circulation et que vous vous en prenez à n'importe qui comme si c'était sa faute. En fait ce n'est pas sa faute: vous projetez simplement votre colère sur cette personne. C'est très fréquent, mais c'est la source de beaucoup de malentendus. [...]

«[...] il y a des gens qui se contentent parfaitement de ne pas savoir, de ne pas comprendre, de ne pas se connaître eux-mêmes, et qui s'en moquent complètement. Ils sont tout à fait décontractés par rapport à cette ignorance. Or, cette ignorance est à l'origine de nombreuses difficultés. Par exemple, si vous pensez aux événements regrettables qui affectent le monde, vous pouvez vous demander s'ils ne sont pas en grande partie dus à l'incapacité des gens d'avoir une réponse objective (et par là je ne veux pas du tout dire détachée ou privée d'émotion) mais émotivement objective aux situations réelles qu'ils rencontrent. Si vous pensez au racisme et à la xénophobie, ce sont des réactions émotives qui procèdent par projection: on sait très bien qu'elles ne survivent pas à la connaissance personnelle des gens que l'on hait ou que l'on méprise collectivement. Là, l'hypothèse des psychanalystes est probablement la bonne: on projette son propre côté le plus négatif sur l'autre groupe et on l'accuse de toutes sortes de choses dont on se sent soi-même confusément ou même inconsciemment coupable.

«[...] nos émotions, tout comme nos perceptions, peuvent nous tromper, et il faut apprendre à les connaître.»

DE L'INCONSCIENT (PEUT-ÊTRE)...

À partir de quel *point d'appui* pourrait-on envisager de refaire le monde, en commençant par soi? C'est là la question. À propos du principe du levier, Archimède ne disait-il pas: «Donnez-moi un point d'appui et je soulèverai le monde!»? Ce point d'appui me paraît se trouver (peut-être) dans une interprétation différente du *subconscient,* une interprétation qui tienne compte de la double nature de l'homme, de ce que je vais plutôt nommer désormais l'*inconscient.*

Bien qu'il existe en psychologie une distinction entre les deux, celle que je suggère est relativement personnelle. C'est que je tenais à parler d'abord des forces obscures de la psyché et le mot subconscient évoque bien l'idée qu'il s'agit ici d'une instance *inférieure.* Mais on parle plutôt aujourd'hui, depuis en particulier l'apport de Jung, de l'inconscient.

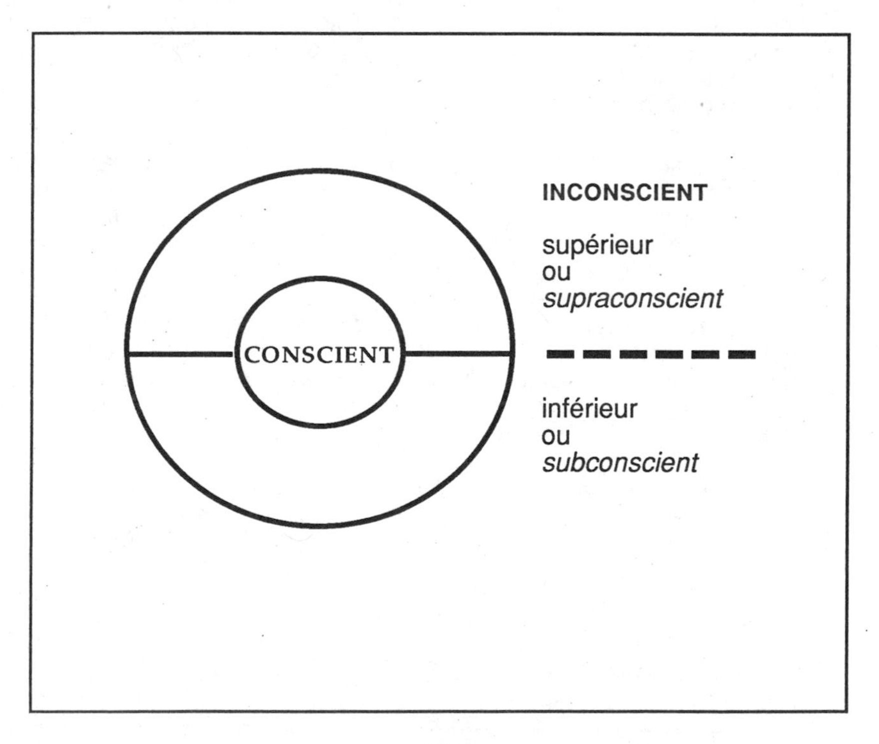

On peut se représenter l'inconscient comme entourant pour ainsi dire le conscient et comportant un aspect inférieur et un aspect supérieur. L'aspect inférieur correspond à ce que l'on entend généralement par le subconscient. Quant à l'aspect supérieur, on peut l'entendre comme le surconscient ou le supraconscient. C'est dans ce sens que je parle de l'aspect divin de la nature humaine.

On peut se demander par quelle aberration l'aspect inférieur de l'inconscient en serait venu à jouer jusqu'ici dans l'histoire un rôle plus déterminant que l'aspect supérieur. Sommes-nous plus doués pour le mal que pour le bien? Sommes-nous vraiment libres? Avons-nous vraiment le choix? Quel usage avons-nous fait du néo-cortex dont nous sommes si fiers? De la raison, dont il est le siège? Et de l'intuition? Et surtout, sur quoi pourrait bien reposer l'espoir pour qu'il en soit autrement dans l'avenir? (Quand on réfléchit à ces questions troublantes, on en vient à comprendre que certains mettent leur espoir dans la venue des extraterrestres!)

Pourtant je fais, quant à moi, le pari de Pascal, appliqué ici non pas à Dieu mais à l'Homme, car j'ai malgré tout foi en l'Homme.

L'histoire témoigne aussi de l'existence d'un aspect supérieur de l'inconscient: la créativité, le sens esthétique, la générosité... Ces qualités ressortent à ce que j'appelle, au sens large où je l'entends, la divinité de l'être humain, par opposition à l'animalité. Pourtant, après avoir observé ce que l'être humain a fait jusqu'ici de son animalité, dans quel sens il a utilisé ses fonctions instinctives, on peut se demander ce qu'il fera dans l'avenir de sa divinité, dans quel sens il utilisera ses fonctions intuitives [25].

L'histoire, pourtant, propose aussi de nombreux exemples de comportements où la raison l'a emporté sur l'émotion. Il s'agit d'exceptions, il faut bien le dire. Mais comment faire pour que de tels comportements deviennent la règle?

Je ne prétends pas qu'il n'y a pas de braves gens sur cette planète. Mais ils ne semblent pas exercer souvent le pouvoir ou sont très souvent victimes des conditions qui leur sont faites par ceux qui, précisément, l'exercent. L'impuissance dans laquelle se retrouvent les braves gens, mais parfois aussi l'ignorance voire l'ignorance crasse, expliquent également leur participation à des actes d'agression. Sans compter que l'effet d'entraînement a souvent permis aux aspects obscurs de la psyché de se manifester.

Eric Fromm, bien qu'il ait consacré un ouvrage à «la tendance *spécifiquement humaine* à détruire», conserve malgré tout sa foi en l'homme: «Une foi rationnelle, précise-t-il, dans la capacité de l'homme à éviter l'ultime catastrophe.»

De la *conscientisation* des deux aspects de l'inconscient

La psychologie nous apprend que tous les contenus que l'on parvient à éclairer au niveau de l'*aspect inférieur* de l'inconscient, autrement dit que l'on parvient à conscientiser pour ainsi s'en libérer, entraînent par le fait même un élargissement proportionnel du conscient. Cet élargissement est d'autant déterminant pour la suite du monde que le conscient est le siège de la pensée, de la raison. C'est même ici que me paraît se trouver la solution: dans la poursuite systématique de la conscientisation, dans le fait d'éclairer de plus en plus les contenus de l'aspect inférieur de l'inconscient afin d'élargir la part du conscient. C'est le sens même de toute démarche sérieuse au plan psychologique et psychospirituel. Mais j'ajoute que, parallèlement, la conscientisation doit aussi porter sur les contenus de l'*aspect supérieur* de l'inconscient afin, dans ce cas, de favoriser le fonctionnement du supraconscient, siège de l'intuition. Il faut comprendre que l'aspect supérieur de l'inconscient, comme du reste son aspect inférieur, se manifeste de lui-même et sans que, par définition, on en soit conscient. Mais la conscientisation des contenus de l'inconscient a sur son fonctionnement un effet déterminant. Alors que la conscientisation des contenus de l'aspect inférieur a pour effet d'en atténuer les manifestations, le conscientisation des contenus de l'aspect supérieur a pour effet d'en intensifier les manifesfations. Au niveau de l'aspect inférieur, la conscientisation procède, comme je l'ai indiqué précédemment, de la *purification;* au niveau de l'aspect supérieur, elle procède de la *réalisation.* Ce sont ici les deux aspects d'une authentique démarche de croissance. La réalisation revient, en définitive, à développer la conscience de sa divinité.

L'exercice de la liberté, quoi qu'on dise, n'est pas une solution en soi. Rien ne permet d'affirmer en effet que nous l'exercerons mieux dans l'avenir que par le passé. À moins, me semble-t-il, de nous employer à accélérer le processus de conscientisation des deux aspects de l'inconscient: des contenus obscurs et des contenus lumineux. C'est le seul moyen dont on dispose pour développer le conscient; pour devenir *plus conscient,* donc *plus responsable.* C'est en effet du niveau de conscience que dépend le sens de la responsabilité. Nous avons aujourd'hui le plus grand besoin d'êtres de qualité dont le conscient aura été élargi par l'effet de cette double conscientisation. C'est ce que je veux dire – encore une fois mais ici plus précisément – par la formule: *en commençant par soi.*

Du Surhomme

> **«Le passage de l'homme au surhomme est la prochaine réalisation imminente de l'évolution terrestre. Le passage est inévitable parce qu'il est à la fois l'intuition de l'Esprit intérieur et la logique du processus de la Nature.»**
> Sri Aurobindo *

Cet aspect supérieur de l'inconscient qu'il faut s'employer à conscientiser, en même temps qu'on lève les obstacles qui en limitent la manifestation en conscientisant aussi l'aspect inférieur de l'inconscient, m'amène à considérer maintenant la *divinité* en chacun de nous.

* On retrouve ici l'idée que nous sommes à la fois tirés par le haut et poussés par le bas. Aurobindo, cependant, affirme que le «passage est inévitable». Pour ce qui est sans doute de la direction imprimée par ces deux forces qui, en réalité, n'en sont qu'une. Mais il écrit plus loin: «[...] il lui est permis (à l'homme) d'être l'artisan partiel de ce changement divin; son assentiment conscient, sa volonté consacrée sont **nécessaires** pour que puisse descendre dans son corps la gloire qui remplacera l'homme.» [26]

Je rappelle qu'il s'agit ici, comme le suggèrent certains mythes, de l'autre pôle de la nature humaine par rapport à celui que représente l'animalité, l'homme se trouvant aujourd'hui, dans le cours de l'évolution, quelque part entre les deux... «au-dessus d'un abîme». J'ai défini la divinité comme l'aspect supérieur de l'inconscient: surconscient ou supraconscient. Mais on peut aussi en parler comme de la Conscience supérieure en chacun de nous. C'est vers la réalisation totale de cet aspect virtuel de l'être que tendrait l'évolution. Mais il appert que, dans certaines conditions, la conscience supérieure se manifeste d'elle-même. C'est elle, par exemple, qui se manifeste dans les grandes œuvres d'art, les réalisations humaines importantes et les cas extrêmes d'altruisme.

Comment expliquer en effet que l'on trouve en soi la motivation qui commande le sacrifice suprême de sa vie, autrement dit un acte dont l'accomplissement exige que l'on soit libéré provisoirement de l'instinct de survie qui est en chacun de nous la tendance innée la plus forte?

Le mythologue Joseph Campbell rappelle dans ses entretiens télévisés [27], à propos de la capacité chez certains individus de sacrifier leur vie pour un autre, que «Schopenhauer [28] dans un remarquable essai se demande comment il est possible qu'un être humain puisse participer aux épreuves, aux souffrances d'un autre à un point tel que, sans penser, spontanément, il sacrifie sa propre vie pour lui. Comment il se fait que l'instinct de survie, que nous considérons comme la loi primordiale de la nature, se trouve soudainement annihilé».

Campbell rapporte plus loin un fait divers dont il a eu connaissance, qui lui paraît offrir un bon exemple d'un tel comportement. Il s'agit, en quelques mots, d'un policier qui, apercevant un homme qui s'avance sur le parapet d'un pont avec l'intention évidente de se suicider en sautant dans le vide, se précipite à son secours et parvient, au moment où l'autre amorce sa chute, à le saisir et à le retenir au-dessus du vide, au péril de sa propre vie, jusqu'à ce que l'on vienne les secourir. À un journaliste qui lui demandait pourquoi il n'avait pas laissé aller le désespéré «alors qu'en le retenant vous mettiez en péril votre propre vie?», le policier a répondu: «Je ne pouvais pas le laisser aller. Si j'avais laissé aller ce jeune homme, je n'aurais pas pu vivre un jour de plus...»

«Comment cela se peut-il?» se demande Campbell.

«La réponse de Schopenhauer est qu'**une telle crise psychologique représente une percée de réalisation au plan métaphysique** [29]**:** à savoir que vous et l'autre êtes Un, autrement dit deux manifestations d'une même vie; et que le sentiment que vous éprouvez habituellement d'être séparé de l'autre n'est qu'une illusion, l'effet de l'expérience de la réalité dans les conditions spatio-temporelles ordinaires. Alors que notre véritable nature se trouve dans notre identité avec le tout, dans l'unité de toute vie. Telle est l'expérience métaphysique qui peut se produire spontanément dans les conditions d'une crise psychologique. Car telle est, toujours selon Schopenhauer, la vérité concernant notre nature.»

DE L'INTELLIGENCE OU CONSCIENCE UNIVERSELLE

«Tendre, de toutes ses forces, à retrouver l'Unité primordiale de la Matière et de l'Esprit.»
Lao Tseu

Je ne vois guère que l'existence d'une *Intelligence* qui pénètre tout l'univers pour expliquer, à tous les niveaux de l'évolution, les cas d'altruisme qui demeurent inexplicables autrement; d'une *Conscience universelle* – dont tout participe – qui se manifeste par une dynamique évolutive, une tension, en vue d'un dépassement.

On explique parfois par l'intuition les comportements altruistes chez les humains que ne recouvrent pas les théories réductionnistes ou que n'éclairent pas non plus les choix proposés par la raison. Cela sous-entend que l'être humain serait donc, effectivement, tiré vers le haut, par son aspect supérieur, je dirais par sa divinité. Mais il appert que l'Intelligence, la Conscience universelle, agit tout autant à partir du bas, de l'animalité, et qu'elle pousse tout ce qui vit vers le haut. Le psychologue Abraham Maslow aimait rappeler que le besoin de dépassement est *instinctif,* prenant racine dans l'animalité.

C'est ainsi que s'est imposée à moi une vision selon laquelle, comme je le suggère ailleurs, l'animalité et la divinité vont en fait dans le même sens, obéissant au même besoin de dépassement. Mais ce sont, en fait, toutes les formes de vie qui, bien qu'elles se manifestent diversement – chaque élément de l'ensemble, autrement dit de l'univers, véhiculant l'énergie d'une façon particulière –, participent de la même unité dont parle Campbell. La diversité des canaux d'énergie, que représentent toutes les formes de vie, fait en effet partie de la grande illusion, de la *maya.* Tout se passe comme si chaque canal véhiculait une énergie différente, bien qu'il s'agisse en réalité de la même énergie, de la même Conscience universelle qui est UNE.

Au cours du siècle qui s'achève, plus précisément des cinquante dernières années, la réalité de cette Intelligence, de cette Conscience universelle a été sinon admise par la science en général, du moins proposée comme l'explication ultime par plusieurs chercheurs. Dans les pages qui suivent, je me propose de rapporter brièvement le témoignage de trois de ces chercheurs appartenant à des disciplines différentes: la physique, la cybernétique et la biologie.

Le *psychisme* de l'Univers selon un physicien

> **«[...] ce que ma Relativité complexe voulait démontrer, c'est non pas que l'Esprit était une 'fonction' de la Matière, mais plutôt que la Matière était une fonction de l'Esprit: que c'était l'Esprit qui donnait son existence à la Matière.»**
> Jean E. Charon [30]

J'ai parlé précédemment de la nouvelle vision de l'univers que propose la physique moderne. Cette vision n'est pas sans évoquer celle que suggérait déjà Pierre Teilhard de Chardin, dont j'ai parlé à propos de la convergence. Le physicien Jean E. Charon reconnaît volontiers avoir toujours été ébranlé, depuis son très jeune âge, par la prévision de Teilhard de Chardin [31]: «Le moment est venu de se rendre compte qu'une interprétation, même positiviste, de l'Univers doit, pour être satisfaisante, couvrir le *Dedans,* aussi bien que le *Dehors des choses* – l'Esprit autant que la Matière. La vraie Physique est celle qui parviendra, quelque jour, à intégrer l'Homme total dans une représentation cohérence du monde.» On a souvent reproché à Charon, ainsi qu'à d'autres physiciens qui ont comme lui le même soucis, de faire intervenir dans leur vision des notions qui appartiennent plus au langage de la spiritualité ou de la métaphysique qu'au langage de la science. «Je reconnais, dit-il, ne jamais avoir souscrit à ce type de raisonnement qui déconseille de 'mêler' actuellement l'Esprit à la Science, car il me paraît complètement faux. Rien ne me semble plus 'urgent' que de tenter de déduire de nos connaissances, quel que soit le niveau de celles-ci, les éléments de l'Esprit et de son fonctionnement.» [30]

Pour Teilhard, lorsque l'on considère l'évolution de notre univers, il est impossible de concevoir le passage de la Matière inerte au Vivant, puis celui du Vivant au Pensant, sans supposer qu'existe dès la particule élémentaire «quelque chose» qui «contemple sa propre action» et qui peut la «guider» pour la faire aller, peu ou prou, vers un futur qu'elle désire atteindre, tendance qu'il définit comme la convergence ultime de toutes les formes de vie.

J'ai souligné plus haut que cette tendance se manifeste en particulier par l'entraide, la coopération... l'altruisme.

Le *programme* de l'Univers selon un cybernéticien

Le Dr David Foster, cybernéticien, suggère que l'univers doit être considéré comme un système. Or, selon le modèle cybernétique, tout système comporte un *programme* qui en assure l'évolution. Alors que la science dure soutient que l'univers peut être expliqué en termes mécaniques, Foster suggère au contraire, et d'autres avec lui, que l'évolution de la vie n'est pas un accident, qu'elle obéit à des forces qui possèdent une intelligence et le sens de la finalité.

Ce programme serait une autre façon de se représenter l'Intelligence, la Conscience universelle. On peut donc aussi arriver à cette vision à partir de ce que nous connaissons de la programmation cybernétique de la nature. On dira, par exemple, que le gland contient le programme du chêne... C'est d'ailleurs ce qui fait dire au Dr Foster que le programme se trouverait dans l'ADN. Mais cette hypothèse ne permettrait pas d'expliquer le passage de la matière inerte au vivant. C'est pourquoi j'estime, quant à moi, qu'il faut plutôt adopter la vision de Teilhard de Chardin reprise et explicitée depuis par plusieurs physiciens, selon laquelle le programme se trouverait d'abord au niveau des particules... En fait, au fur et à mesure que se poursuit l'évolution, le programme se retrouve à tous les niveaux: depuis celui de la particule, comme le pensent certains physiciens, à celui de la molécule et de la cellule, comme le pensent certains biologistes, de même qu'à celui de l'individu de toutes les espèces, le dehors des choses ne pouvant pas exister sans le dedans.

L'univers serait donc l'effet d'un programme global, d'une Intelligence, d'une Conscience universelle, qui commanderait l'évolution en fonction d'un devenir de plus en plus complexe, d'un dépassement, d'une convergence... Cette théorie concorde du reste avec celles qui nous sont proposées depuis quelques années par de nombreux chercheurs [32].

La *stratégie* d'expansion de la vie selon une microbiologiste

La microbiologiste Lynn Margulis [33], qui partage la vision de J.-E. Lovelock, père de l'hypothèse *Gaïa* selon laquelle notre planète serait un organisme vivant, suggère à son tour une théorie qui s'inscrit parfaitement dans le contexte d'une réflexion sur l'Intelligence, la Conscience universelle. Selon elle, l'homme doit être considéré comme un des éléments d'une stratégie générale du vivant. «La curiosité de l'homme, sa soif de connaître, son enthousiasme pour aller dans l'espace et s'y étendre, [...] représentent l'une des stratégies les plus avancées d'expansion de la vie, qui débuta dans le microcosme des bactéries il y a quelque 3,5 milliards d'années.» L'homme serait donc lui-même l'aboutissement provisoire d'une tendance universelle mais dont la suite, du moins à l'étape actuelle sur cette planète, dépend en partie de lui. Il représente désormais un des outils de l'évolution et le seul élément jusqu'ici dans notre *monde* qui jouisse de la liberté de s'inscrire ou non dans la stratégie générale du vivant.

On retrouve ici une donnée qui nous est déjà familière et qui représente à mon sens le nœud du dilemme dans lequel nous nous retrouvons aujourd'hui. Si l'animalité nous pousse et la divinité nous tire, et si, plus généralement, toutes les formes de vie participent de cette stratégie d'évolution et d'expansion de la vie, l'homme en devenant relativement libre par rapport à cette

Intelligence, à cette Conscience universelle, représente en définitive le seul obstacle possible à l'évolution et à l'expansion de la vie, en même temps qu'il en sera, si tel est son choix, l'un des outils – mais le seul qui le soit en pleine conscience. Nous voici, encore une fois, face à la grande question de l'usage que l'on fera de la part de liberté dont l'évolution à un moment nous a fait cadeau.

À une des étapes de l'évolution, rappelle Margulis en reprenant à son compte l'explication qui nous est familière et selon laquelle l'entraide et la coopération ont été, à tous les niveaux, le moyen de parvenir à une complexité de plus en plus grande, des microbes se sont associés pour former des organismes multicellulaires, qui eux-mêmes ont intégré d'autres cellules, et ainsi de suite jusqu'à constituer des organismes supérieurs, végétaux, animaux, toujours mieux adaptés. (Étant microbiologiste, elle suggère que cette stratégie commence avec le vivant...) Depuis la nuit des temps, explique-t-elle, les micro-organismes jouent la carte de la *coopération* pour améliorer leurs chances de survie. Un véritable partenariat s'est établi entre les espèces. L'humanité est elle-même une partie de la biosphère, toujours dépendante de la coopération des micro-organismes, vision qui recoupe celle de l'hypothèse *Gaïa.*

Cette vision fantastique comporte, pourtant, une leçon d'humilité: la biologie darwiniste moderne nous rappelle en effet que notre comportement prédateur et destructeur n'est pas viable à long terme. La suite du monde, du moins le nôtre, car c'est dans ce sens qu'il faut entendre cette formule, dépend plus que jamais de l'entraide et de la coopération. Mais à l'étape où nous sommes parvenus, l'évolution et l'expansion du vivant (et du *pensant,* comme le disait Teilhard de Chardin) ne se fera pas sans un engagement conscient, sans une volonté d'engager notre part de liberté dans ce sens.

Il faut retenir, souligne Margulis, que l'humanité n'est pas le stade ultime et supérieur de l'évolution. En réalité, elle en est même une création récente. Une fois que la vie et l'intelligence, l'ADN, se seront répandues dans la galaxie grâce aux hommes et à leurs machines (qu'elle considère comme des apports de l'évolution au même titre qu'hier les pinces et les carapaces des mollusques et des insectes) la Terre apparaîtra alors comme un être vivant à part entière, capable de se reproduire lui-même. Mais advenant qu'à la suite d'une catastrophe, naturelle ou autre, ou simplement de notre incapacité de nous inscrire dans la stratégie générale du vivant, nous disparaissions comme les dinosaures ont disparu, qu'adviendrait-il de *la suite du monde?*

Cela n'a pas beaucoup d'importance, répond Margulis. La vie conservera bien quelques cellules capables de reprendre et de poursuivre l'évolution sans nous. Après tout, la disparition des dinosaures n'a fait que laisser de la place au développement des primates. Elle va même jusqu'à affirmer: «Une apocalypse de l'humanité pourrait préparer la biosphère à **des formes de vie moins égocentriques.»** [34]

L'Intelligence, la Conscience universelle, qui pénètre tout l'univers, serait donc le véritable moteur de l'évolution, qui commanderait à tous les niveaux, au fur et à mesure que la vie se complexifie, un comportement de plus en plus altruiste en vue d'un dépassement toujours plus grand. C'est ainsi qu'à chaque niveau les formes de vie tendraient à se dépasser par l'entraide et la coopération pour parvenir à se définir à un niveau de participation plus élevé...

Et ainsi de suite, en fonction de la convergence ultime de toutes les formes de vie.

Pour définir plus précisément l'altruisme, j'aurai recours, dans les pages qui suivent, à la même opposition fondamentale que sont la thèse réaliste et la thèse idéaliste dont j'ai parlé au début du présent chapitre, mais cette fois à propos de l'altruisme de comportement et de l'altruisme créatif.

Notes et références

[1] *L'âme des animaux* (éd. Robert Laffont). On peut aussi consulter un ouvrage remarquable de Robert Tocquet, *Meilleurs que les hommes* – l'entraide dans le monde animal et végétal (éd. J'ai Lu).
[2] *La méduse et l'escargot* (éd. Pierre Belfond). Souligné par moi.
[3] *People of the Lake.*
[4] Propos recueillis par Monique de Gramont dans *Châtelaine* (mai 1988).
[5] Propos recueillis par Marie Borrel dans *Psychologies* (juin 1988).
[6] *Le cheval dans la locomotive* (éd. Calmann-Lévy).
[7] Jean-Pierre Changeux et Alain Connes, *Matière à pensée* (éd. Odile Jacob). Il s'agit ici plus particulièrement de la contribution de Jean-Pierre Changeux, neurobiologiste de réputation mondiale et professeur au Collège de France; directeur d'un laboratoire à l'Institut Pasteur, il est aussi l'auteur de *L'homme neuronal* (éd. Fayard).
[8] Au cours d'une interview qu'il a accordée à Guy Sorman IN *Les vrais penseurs de notre temps* (éd. Fayard).
[9] *Sociobiology: The New Synthesis: The systematic study of the biological basis of all social behavior* (éd. London Belknap Press of Harvard University Press).
[10] Une partie de son enseignement est communiquée dans le livre de Peter Ouspensky, *Fragments d'un enseignement inconnu* (éd. Stock). On peut trouver encore aujourd'hui des «groupes Gurdjieff» qui diffusent son enseignement.
[11] Il aurait pu mentionner le mot «bonté», ce qui cependant serait revenu au même pour ce qui est du moins du raisonnement qu'il tient ici.
[12] Fritz Peters, *Mon enfance avec Gurdjieff* (éd. Stanké).
[13] «The theory of inclusive fitness».
[14] *The Evolution of Reciprocal Altruism. Quarterly Review of Biology* 46 (4): 35-57.
[15] *La Sagesse du stress* (éd. Nouvelle Optique) – en collaboration avec Georgette Goupil.
[16] *Stress sans détresse* (éd. La Presse).
[17] L'UNESCO a tenu à Vancouver, du 10 au 15 septembre 1989, un colloque sur le thème de *La science et de la culture pour le XXIe siècle: un programme de survie.* La Déclaration de Vancouver de même que les commentaires de Pierre Dansereau ont paru dans *Québec Science,* volume 28, numéro 8, avril 1990.
[18] *L'altruisme et la morale* (éd. Ramsay).
[19] *Darwin et les grandes énigmes de la vie* (éd. Pygmalion). Professeur à la fois de biologie, de géologie et d'histoire des sciences à l'université de Harvard, Gould est l'un des chefs de file de la nouvelle théorie de l'évolution.
[20] Souligné par moi.
[21] *L'héritage de la liberté* – de l'animalité à l'humanitude (éd. du Seuil).
[22] J'ai consacré une émission de télévision à l'aspect obscur de la nature humaine dans la série *Vivre Ici Maintenant,* diffusée par la Société Radio-Canada, sous le titre précisément de ***Mr Hyde.*** Mais j'aborde ici la question dans une perspective différente. Les textes de ces émissions, revus et augmentés, ont été publiés sous le titre de la série télévisée: *Vivre Ici Maintenant* (éd. Minos).
[23] *La passion de détruire* (éd. Robert Laffont).
[24] Professeur au département de Philosophie de l'université de Toronto, spécialiste de la psychologie du langage, versé dans les neurosciences et l'intelligence artificielle, et acteur à ses heures, Ronald de Sousa a consacré un livre à la démonstration de cette maxime: *The Rationality of Emotion* (éd. The MIT Press, 1987, Cambridge, Mass.). Les propos que je rapporte ici sont tirés d'un article paru dans *Science & Vie* (supplément – Canada, numéro 168).
[25] Lorsque les ésotéristes parlent de la disparition de la civilisation des Atlantes par suite du mauvais usage de leurs pouvoirs, j'en viens à me demander s'il ne

s'agirait pas précisément des pouvoirs associés à l'aspect divin de la nature humaine que l'on aurait mis au service de valeurs matérialistes.

[26] *L'Évolution future de l'humanité* (éd. Presses Universitaires). Souligné par moi.

[27] À la télévision éducative américaine (PBS)*The Power of Myth* – with Bill Moyers.

[28] Arthur Schopenhauer (1788-1860), philosophe allemand. Selon *Quillet:* l'une des conclusions auxquelles ses recherches l'ont amené est que la seule libération possible pour l'homme se trouve dans le «quiétisme» de sa volonté individuelle pour laisser toute sa valeur à la volonté universelle.

[29] Souligné par moi.

[30] *Sur la barque du temps* (éd. Albin Michel).

[31] *Le phénomène humain* (éd. du Seuil).

[32] Certains éléments de ce raisonnement sont repris d'une conférence du Dr David Foster, au Congrès international de cybernétique, à l'Imperial College de Londres, en 1969. Colin Wilson, dans son ouvrage *L'occulte* (éd. Phillipe Lebaud), a lui-même recourru à cette théorie pour étayer son hypothèse selon laquelle l'homme possède des pouvoirs exceptionnels, qui restent le plus souvent en veilleuse, faute de s'employer à les développer, et qu'il appelle la *Faculté X.*

[33] *L'Univers bactériel* (éd. Albin Michel), en collaboration avec Dorion Sagan.

[34] Souligné par moi.

IV – De l'altruisme de comportement... à l'altruisme créatif

En guise d'introduction à ce chapitre portant sur les deux formes d'altruisme que sont l'altruisme de comportement et l'altruisme créatif, je crois utile de faire état de la contradiction devant laquelle je me trouvai à l'époque où je poursuivais mes recherches sur le phénomène du *burn-out* [1].

Comment se fait-il, en effet, que parmi les traits de caractère que l'on peut observer chez les candidats au *burn-out,* on trouve souvent ce que j'appelai à l'époque un «certain altruisme»? On aurait pu croire pourtant que la tendance altruiste, si on tient compte des effets bénéfiques de l'ouverture aux autres dont j'ai parlé précédemment, les eut tenus à l'abri de cette forme de mal-être.

J'éprouvai d'autant plus de difficultés à résoudre cette contradiction que j'étais partagé entre deux constatations irréconciliables: c'est souvent, en effet, parmi les individus considérés comme généreux, altruistes, que se recrutent les victimes de cette forme de mal-être; bien que, par ailleurs, l'enseignement traditionnel (la philosophie éternelle ou pérenne...) suggère que la Voie qui mène, selon les écoles, à l'Éveil, à l'Illumination, à la Libération, à la Réalisation du Soi... passe nécessairement par l'ouverture aux autres, par la compassion.

Je supposai alors que l'altruisme des candidats au *burn-out* devait être, en partie du moins, commandé par le rôle ou la fonction, leurs attitudes et leurs comportements altruistes pouvant découler de motivations aussi diverses que le sens du devoir, le désir d'approbation ou de reconnaissance et même, au niveau inconscient, de certains mécanismes de défense... ce qui devait s'avérer.

Depuis, j'ai découvert en effet que l'on peut considérer l'altruisme à partir d'une distinction qui s'impose de plus en plus ces années-ci parmi les chercheurs, à savoir les deux formes suivantes:

- l'**altruisme de comportement** qui effectivement découle de motivations diverses telles que celles commandées par le rôle, la fonction, le sens du devoir, le désir d'approbation ou de reconnaissance, et qui est parfois même l'effet de mécanismes de défense inconscients;

et

- l'**altruisme créatif** considéré comme un *trait de caractère* que l'on peut développer.

On se trouve donc en présence de deux formes extrêmes d'altruisme, l'une *intéressée,* consciemment ou non, et procédant de l'instinct; l'autre *désintéressée* et procédant de l'intuition. Mais il est évident qu'en pratique la disposition altruiste se définit le plus souvent quelque part entre les deux. (Je reviens plus loin sur ce point.)

Cette distinction, on la retrouve dans plusieurs travaux récents sur l'altruisme. C'est en particulier celle que suggère l'IONS qui l'a précisée dans le cadre d'un programme de recherches mis sur pied à l'instigation de son président Willis Harman [2]. Ce programme, qui porte sur les Habilités exceptionnelles *(Exceptional Habilities),* vise à découvrir la nature de l'exceptionnel en chacun de nous et à contribuer ainsi à redéfinir la perception que nous avons de la nature humaine.

DE L'ALTRUISME DE COMPORTEMENT...

«Il ne s'agit pas ici de mettre en cause le désir d'aider les autres et de les rendre heureux mais de prendre conscience des besoins inconscients de dépendance qui y président.»
Margarete Mitscherlich [3]

L'être humain est un animal social. La vie en société n'a de sens que dans l'interaction avec les autres: elle repose essentiellement sur l'échange d'informations, de services, de produits. Aussi pouvons-nous dire que nous vivons les uns pour les autres. Nous sommes interdépendants non seulement pour assurer notre survie, répondant ainsi à un profond besoin de sécurité, mais aussi pour renforcer notre identité: notre équilibre psychologique dépend en partie de l'image que nous renvoient les autres. Il existe, au plan de la survie comme à celui de l'identité, une interdépendance des êtres. De ce point de vue, on peut dire, en effet, qu'il n'existe pas d'altruisme désintéressé: l'interaction avec les autres serait incomplète si elle ne contribuait pas à assurer, au moins relativement, la survie et si, par ailleurs, on n'en recevait pas une image qui renforce l'identité en alimentant l'estime de soi-même.

Considérée dans cette perspective, cette forme d'altruisme en est une de comportement. Il est juste d'ailleurs de penser que, dans ce cas, les théories réductionnistes, du «gène égoïste» et de «l'altruisme réciproque» dont j'ai parlé précédemment, permettent d'éclairer la motivation qui inspire cette forme d'altruisme. Il s'agit bien ici, que l'on en soit conscient ou non, d'un altruisme intéressé. On attend quelque chose en retour du geste, de la parole, de l'action altruistes, ce qui n'est pas malsain en soi. Mais encore faut-il être conscient de la motivation qui commande de tels comportements. C'est lorsque les attentes inconscientes sont déçues que la frustration peut susciter un état de mal-être.

J'ai évoqué jusqu'ici des comportements motivés par le sens du devoir, le désir d'approbation ou de reconnaissance. Mais qu'en est-il lorsque l'altruisme de comportement découle en fait de certains mécanismes de défense inconscients et qu'il se traduit par une forme de manipulation, de domination? Le risque de mal-être est alors beaucoup plus grand. L'interdépendance qui permet d'assurer la survie ou de renforcer l'identité devient alors une véritable dépendance de la part de l'*intervenant.* (J'ai recours ici à un mot du vocabulaire des professions d'aide mais le phénomène dont je parle concerne toute forme d'interaction à tendance dominante, y compris celle d'un parent à l'égard de son enfant.) Or, cette dépendance a pour effet de renforcer encore davantage l'identification au rôle, à la fonction...

Dans certains cas, la dépendance de l'intervenant à l'égard du... (patient, client, employé, étudiant, citoyen, enfant...) est telle que sous couvert d'un altruisme qu'il croit désintéressé, il cherche en fait inconsciemment à tenir l'autre sous sa coupe, plutôt que de favoriser son autonomie – et la sienne du même coup! – afin d'assurer sa survie ou de renforcer son identité. Il faut comprendre que ce genre de rapport en est un de dominant-dominé et que l'entraide n'est ici qu'une forme déguisée de compétition. L'altruisme n'est plus alors qu'un immense paravent derrière lequel se cache une peur d'enfant, la peur d'être rejeté.

Tel est, en gros, ce que l'on définit comme l'altruisme de comportement. Or, c'est dans le cas où l'altruisme en est un de comportement qu'il peut susciter un *burn-out,* et que l'on peut parler du «syndrome de la compassion».

À l'époque où je poursuivais mes recherches sur l'altruisme, j'ai trouvé dans un journal [4] un article sur le syndrome de la compassion dont voici quelques extraits:

> ***Le «syndrome de la compassion» menace médecins, thérapeutes, travailleurs sociaux, etc.***
>
> *Les médecins, thérapeutes et travailleurs sociaux américains ont trouvé un nom pour qualifier le syndrome qui décime leurs rangs: la «fatigue de la compassion». Cette maladie frappe les gens qui prennent trop à cœur leur métier, qui placent sur leurs épaules le fardeau des autres, qui gardent trop peu de temps et d'énergie pour eux-mêmes. Les «malades» deviennent amers, déprimés, et leur vernis professionnel commence à se fissurer.*

Il s'agit bien ici de quelques symptômes du *burn-out.* Je m'étonne même que le terme n'ait pas été mentionné dans l'article. Peut-être l'a-t-il été au cours du colloque? Mais pas nécessairement, car dans certains milieux le terme *burn-out* est associé à la dépression... On aurait donc contourné la difficulté en imaginant la formule: «syndrome de la compassion». Ce qui à mon sens ajoute à la confusion [5].

> *Peu à peu, la «fatigue de la compassion» acquiert une reconnaissance officielle. [...] Une demi-douzaine d'exposés ont été consacrés à ce syndrome lors de la récente conférence de l'Association nationale des travailleurs sociaux. Environ 20 pour cent des professionnels sociaux seraient atteints [...]. Un travailleur social parfait mais atteint du syndrome de la compassion sans le savoir devient un véritable cauchemar pour son employeur. Il a souvent des migraines, mal au dos, est fatigué, déprimé et irritable. Il peut se réfugier dans l'alcool ou la drogue.*

Mais voyons quels sont les moyens suggérés pour lutter contre cet état:

> *[...] Le meilleur moyen [...] c'est encore de prendre des vacances [...]. Certains hôpitaux proposent des programmes d'aide également, avec des leçons sur le stress, de longues réunions des employés et même des marches quotidiennes à travers un parc. Les employeurs aussi ont leur rôle à jouer dans la prévention d'un tel syndrome: en forçant les travailleurs sociaux à aller déjeuner hors de leurs bureaux, en interdisant le travail après 21 h, en empêchant leurs employés de travailler le week-end. [...]*

Ces moyens qui ressortent à la qualité de vie sont certainement recommandables. Mais, selon moi, ils ne suffisent pas. Il faut aussi descendre en soi afin d'éclairer ses motivations obscures et entreprendre une démarche de croissance qui transforme, petit à petit, l'altruisme de comportement en altruisme créatif...

Dansez avec la vie!

«Beaucoup d'intervenants se brûlent actuellement. C'est un véritable phénomène social. Vous donnez de vous-même à quelqu'un et vous perdez de l'énergie. Si vous vous sentez comme ça, c'est que vous ne pratiquez pas de la bonne façon. Vous vous identifiez trop à votre rôle, à votre action. Vous avez perdu (ou vous n'avez pas trouvé?) votre centre.»
Ram Dass [6]

Ces propos de Ram Dass nous font voir plus précisément l'écueil que représente l'altruisme de comportement et l'importance de trouver l'attitude juste dans nos rapports avec les autres, en particulier dans les relations d'aide. Ils nous font voir aussi combien il est capital de poursuivre, parallèlement à nos activités altruistes, une démarche de croissance...

«La seule attitude que je connaisse pour ne pas se brûler quand on travaille constamment avec la souffrance, c'est de se dire: 'Je suis dans la vie pour m'émerveiller et pour grandir. C'est mon but principal sur cette Terre et ma fonction fait partie des moyens que j'ai.' De nombreux intervenants croient encore que s'ils ne travaillent que sur eux-mêmes, ils sont égoïstes. Mais comprenez que si vous travaillez sur vous-même, tout ce que vous faites, tout ce qui vous arrive devient une opportunité, un levier pour grandir. [...]

«Comment vivre nos propres vies et avoir du plaisir tout en traitant des gens qui sont dans des souffrances morales ou physiques terribles? C'est une question qui revient souvent quand je travaille avec des médecins et des infirmières. Élargissez votre perspective. Vous et moi sommes venus sur Terre pour vivre une série d'expériences. Quand vous êtes avec quelqu'un aux prises avec la souffrance, la mort, la maladie cette expérience que vous partagez avec lui à ce moment-là, fait partie de VOTRE vie. Ce n'est pas SON affaire et MA vie. Son expérience du moment est faite de douleur et de crise, de joie et de rires, de légèreté et de lourdeur. Restez paisible au milieu de tout cela. Ces choses sont le tissu de la vie. Et dansez avec!»

Ram Dass, dont le cheminement est exemplaire, nous éveille à la notion d'altruisme créatif dont il est un vivant témoignage.

... À L'ALTRUISME CRÉATIF

Il est impossible de parler de l'altruisme créatif sans évoquer les travaux de Pitirim Sorokin, chercheur de l'université Harvard et véritable précurseur, qui devait à un moment créer, à cette l'université, le *Centre de recherches en altruisme créatif.* [7]

Le premier, il y a de ça près d'un demi-siècle, Sorokin a entrepris en milieu universitaire des recherches sur l'altruisme qu'il a poursuivies pendant plus de vingt-cinq ans.

Son hypothèse de travail posait que l'être humain a un potentiel de développement et une capacité de s'engager pour les autres qu'il parvient rarement à réaliser.

Cette prémisse devait amener Sorokin à s'interroger sur ce qui empêche chacun de nous de réaliser ce potentiel qui devrait, selon lui, se traduire par un engagement constructif au plan social.

On peut ramener la résistance que rencontre en chacun de nous la tendance altruiste, une tendance naturelle selon Sorokin, au fait que l'être humain, en particulier dans le contexte matérialiste de notre époque, entretient de lui-même une image négative, une perception réduite de ses capacités, et qu'il ne se reconnaît pas une véritable capacité de coopérer, de servir, d'aimer.

Sorokin définit l'altruisme créatif comme **«la capacité innée de servir les autres, commandée par un amour désintéressé.»** [8]

À une étape de ses recherches, il s'est employé à identifier chez les individus altruistes que propose l'Histoire (les saints, les héros, etc.) les schèmes de comportement, les traits de caractère communs à ces êtres d'exception.

C'est ainsi qu'il parvint à établir que *le développement de l'altruisme créatif est associé à celui de la créativité, de l'intuition, du sens esthétique et à l'éveil au plan spirituel.* Cette découverte est sans doute l'une des plus significatives qu'il fit.

Son analyse de la dynamique sociale et culturelle, qui a fait l'objet d'un ouvrage en quatre volumes parus entre 1937 et 1941, l'amena à conclure que la civilisation occidentale était parvenue à une étape de transformation profonde au plan de ses valeurs et de ses croyances.

Cette conclusion reposait sur l'étude de la structure et du contenu de nombreux indicateurs sociaux et culturels qui permettent d'identifier l'existence de deux systèmes de valeurs dont on peut observer la croissance et le déclin, en alternance, sur une période de plusieurs milliers d'années.

La montée des valeurs matérialistes pendant de nombreux siècles atteint à un moment son apogée, ces valeurs ne répondant plus aux besoins profonds des individus parce qu'elles ne parviennent plus à proposer une direction, une vision, un sens. Ce système fait alors place au système de valeurs opposé.

Sorokin estimait que nous sommes précisément parvenus, à notre époque, à un tel changement de paradigme.

Pour survivre et se renouveler, la civilisation occidentale devrait donc se redéfinir en fonction de valeurs transcendantes – tendance qui lui paraissait se dessiner. Faute de quoi la rupture créée par la perte progressive de sens serait tellement grave que notre civilisation pourrait être complètement anéantie.

Sorokin accordait une importance capitale à la transformation de l'individu. Le bien-être de la société future dépend principalement, selon lui, du **«fonctionnement de l'individu à un niveau supérieur».** [8]

Les travaux de Sorokin, on s'en doute, ne soulevèrent à peu près pas d'intérêt à l'époque où il les poursuivait. L'importance qu'il accordait en particulier aux valeurs spirituelles ne pouvait guère retenir l'attention à un moment où triomphaient les valeurs matérialistes.

Aujourd'hui, en revanche, la recherche d'un nouveau paradigme étant devenue la grande affaire de notre temps, la redécouverte des travaux de Sorokin s'imposait.

C'est à Willis Harman que l'on doit cette redécouverte. Il a même fait des travaux de Sorokin la base d'une recherche entreprise depuis quelques années par l'IONS. Les chercheurs regroupés par cet institut ne sont pas les seuls à s'intéresser ces années-ci à l'altruisme et à s'inspirer des travaux de Sorokin. Mais ils représentent à mon sens le groupe de recherche dont la démarche est la plus dynamique.

Les chercheurs de l'IONS proposent de l'altruisme créatif une définition élargie selon laquelle cette tendance serait **«l'aptitude inaltérable, qui émane du niveau le plus élevé de l'être, à répondre à une situation par un amour désintéressé.»** [8] Associée à la créativité, à l'intuition, au sens esthétique et à l'éveil au plan spirituel, comme le suggérait déjà Sorokin, cette aptitude provient du niveau de l'être que la Psychologie transpersonnelle a défini depuis comme la *surconscience.* Ce niveau correspond par ailleurs à celui du Soi – par rapport au moi – selon le modèle que proposent les philosophies orientales et certaines écoles de spiritualité occidentales. Autrement dit, l'altruisme créatif est l'expression d'une compassion authentique.

C'est ce vers quoi nous devons tendre.

La disposition altruiste se définit donc en principe par rapport à l'une ou à l'autre de ces deux formes extrêmes que sont l'altruisme de comportement et l'altruisme créatif. Mais il est évident qu'en pratique elle se définit le plus souvent par rapport à ces deux formes à la fois, dans une proportion variable selon la *motivation* qui l'inspire.

Il m'est alors apparu que, pour ordonner une démarche de croissance consciente comportant un engagement altruiste, il serait utile de disposer d'un outil d'évaluation des facteurs de motivation.

C'est cet outil que je propose dans les pages qui suivent.

Notes et références

[1] Voir mon livre *Prévenir le burn-out* (éd. Héritage), paru en France sous le titre *Vaincre le mal-être* (éd. Albin Michel).
[2] Voir la dédicace de cet essai.
[3] *La femme pacifique* (éd. des femmes).
[4] *La Presse,* Montréal, le samedi 2 décembre 1989. (D'après AP et PC – Boston).
[5] Si on voulait une formule qui définisse scientifiquement cet état de mal-être, je suggérerais le *syndrome de l'inhibition d'action,* qui s'inspire des travaux du biologiste Henri Laborit et qui nous reporte au fonctionnement du système neuro-végétatif sous son aspect négatif, correspondant précisément au sentiment d'être coincé dans sa vie, dans son être même, et qui me paraît bien recouvrir le phénomène en question.
[6] Propos recueillis par Paule Lebrun, traduction/adaptation par Jean-Guy Girouard IN *Guide Ressources,* jan.-fév. 1990, vol. 5, nº 3. «Ram Dass né Richard Alpert a été à une certaine époque un des héros de la jeunesse américaine. Certaines de ses conférences publiques rassemblaient plus de 5000 personnes à la fois. Il est à mi-chemin entre la vedette rock et le héros spirituel. Son itinéraire est exemplaire. Professeur de psychologie à l'université de Harvard et psychanalyste, il découvre au détour des années 60 les substances hallucinogènes et s'associe à la démarche de Tim Leary, le pape du LSD. Il part ensuite aux Indes, il rencontre un gourou – Swami Rudi – dont il deviendra le disciple. C'est sous le nom de Ram Dass qu'il continuera sa carrière d'orateur, de psychothérapeute et de conférencier. [...] Ram Dass est l'un des chefs de file du mouvement de retour à la scène sociale chez ceux qui depuis 20 ans s'intéressent aux lois intérieures de la transformation. Il travaille avec les sans-abris, les sidatiques, les mourants, les enfants et dirige la fondation SIVA.»
[7] Pour cette partie de mon exposé, je m'inspire plus particulièrement de deux publications de l'IONS: une *Lettre du président* Willis Harman parue en juin 1986 et un numéro du bulletin de l'Institut paru à l'automne 1986 (vol. 14:2) sur le thème: «Altruism: Self and Others».
[8] Souligné par moi.

V – De la motivation de l'altruisme

Pour évaluer les facteurs de motivation qui commandent la disposition altruiste dans une situation donnée, il m'est apparu en effet qu'il suffit de déterminer quel(s) besoin(s) conscient(s) et, dans la mesure du possible, inconscient(s), telle parole, telle attitude ou telle action permet de satisfaire, en recourant à la célèbre *grille de la motivation* conçue précisément en fonction de la hiérarchie des besoins que propose Abraham Maslow [1], un des maîtres à penser de la psychologie moderne.

Cette grille, qui comporte trois niveaux, suppose une lecture dans le sens de la progression qui va, si je puis dire, de l'animalité à la divinité de l'être:

- La disposition altruiste permet-elle de satisfaire le besoin d'assurer sa survie, sa sécurité? La motivation serait alors du *niveau primaire.*

- Permet-elle plutôt de satisfaire les besoins d'estime de soi, d'appartenance, d'accomplissement? La motivation serait alors du *niveau secondaire.*

- Permet-elle, enfin, de satisfaire le besoin de dépassement? La motivation serait alors du *niveau supérieur* qui est pour Maslow celui de la *métamotivation.* Elle serait désintéressée, créative dans le sens où l'entendaient Sorokin et, plus près de nous, le groupe de travail de l'IONS.

Mais il demeure, comme je le signalais précédemment, que les facteurs de motivation sont le plus souvent divers et qu'ils se définissent relativement à tous les niveaux à la fois. C'est d'ailleurs précisément ce que, selon moi, la grille de Maslow permet d'éclairer.

Échelle des besoins (*)

NIVEAU III - PLAN SUPÉRIEUR

objet : ***dépassement de soi***

Autodétermination
• actualisation du moi

NIVEAU II - PLAN PSYCHOLOGIQUE

objet : ***estime de soi***

Besoins secondaires

Le sens de la vie :
• domaine de la connaissance — *COHÉRENCE*

La vie professionnelle
• domaine de la réalisation — *COMPÉTENCE*

La vie personnelle
• domaine de l'amour — *CONSIDÉRATION*

NIVEAU I - PLAN PHYSIQUE/MATÉRIEL

objet : ***survie***

Besoins primaires

sécurité, bien-être
et plaisir

NIVEAU I - PLAN PHYSIQUE/MATERIEL

objet : ***survie***

Besoins primaires

sécurité, bien-être
et plaisir

Au niveau primaire, on trouve les besoins instinctifs du corps et ses plaisirs: boire, manger, dormir... Ce sont les besoins associés à la survie et à la sécurité matérielle. À ce niveau de fonctionnement, l'être humain est semblable aux autres espèces animales.

Dans la mesure où la disposition altruiste permet de satisfaire des besoins de ce niveau, elle serait commandée par «l'égoïsme altruiste», c'est-à-dire que l'entraide et la coopération:

- permettent au groupe de survivre;
- et à l'individu d'espérer une certaine réciprocité.

Il s'agit ici, de toute évidence, d'un altruisme de comportement. Il faut cependant tenir compte de ce que la motivation est d'une qualité plus ou moins élevée selon que la disposition altruiste profite à des individus proches ou éloignés, qu'elle se définit par rapport à un groupe restreint ou qu'elle représente une ouverture sur le monde, à la condition toutefois que cette ouverture ne soit pas en réalité une fuite de ses responsabilités à l'égard des proches! Tout dépend de la perception que l'on se fait du groupe, la solidarité pouvant s'étendre à l'endroit d'individus d'une autre race, d'une autre culture, voire d'une autre espèce. La motivation n'est plus alors seulement du niveau primaire mais, relativement, du niveau secondaire ou même supérieur, la disposition altruiste étant commandée, au moins en partie, par l'altruisme créatif. Ce sont ici certains des points qu'il faut considérer avec lucidité dans une démarche de croissance.

NIVEAU II -	PLAN PSYCHOLOGIQUE
	objet : ***estime de soi***
Besoins secondaires	
Le sens de la vie : • domaine de la connaissance	***COHÉRENCE***
La vie professionnelle • domaine de la réalisation	***COMPÉTENCE***
La vie personnelle • domaine de l'amour	***CONSIDÉRATION***

Au niveau secondaire, on trouve les *besoins psychologiques:*

• d'abord, au plan de la vie intime, personnelle, affective, tels que le besoin d'être apprécié, d'être aimé;

• puis, au plan du travail, de la fonction, du rôle, de la vocation, tels que le besoin de réussir, de s'accomplir;

• enfin, au plan de l'explication du monde, du sens de la vie, tels que le besoin de comprendre ce qui se passe autour de soi et en soi.

Il est évident que l'ouverture aux autres contribue pour beaucoup à satisfaire les besoins psychologiques.

Ces besoins peuvent se ramener à l'estime de soi, car la tendance altruiste à ce niveau ne vise pas tant à assurer sa propre survie en favorisant celle de l'autre, qu'à satisfaire le besoin d'estime de soi. C'est à ce niveau que l'on trouve le plus souvent les manifestations d'altruisme associées au rôle (par exemple, médecin) ou à la fonction (parent), commandées en fait par le besoin de se projeter afin de recevoir en retour une image qui renforce l'estime de soi.

À propos de la motivation à ces deux premiers niveaux, je crois nécessaire de préciser qu'il n'est pas mal en soi d'avoir des attitudes et des gestes altruistes motivés par le besoin d'assurer sa propre survie ou celui d'alimenter l'estime de soi, etc. Nous sommes des animaux sociaux qui dépendons en grande partie de la qualité de l'interaction avec les autres, au plan physique comme au plan psychique. Mais ce qui paraît regrettable, c'est de ne pas avoir une vision juste des facteurs de sa propre motivation et de penser qu'il s'agit là d'un altruisme désintéressé, créatif; et c'est aussi, par ailleurs, de trop dépendre des autres pour, d'une part, assurer sa survie ou apaiser l'angoisse qu'entraîne la peur de ne pas survivre *(niveau primaire);* et, d'autre part, pour renforcer son identité *(niveau secondaire).*

L'entraide et la coopération qui permettent d'assurer sa survie ou de la favoriser, correspondant à la motivation du premier niveau, ne sont pas névrotiques au départ mais elles peuvent le devenir si les facteurs de motivation sont de nature obsessionnelle, alimentés par la peur de manquer du nécessaire. De tels facteurs, en grande partie inconscients, sont beaucoup plus actifs dans le psychisme qu'on ne le pense. Lorsque l'on explore les zones obscures de l'être, on s'aperçoit que l'on peut bien souvent ramener les facteurs de motivation à la peur irrationnelle de ne pas manger à sa faim et de ne plus avoir un toit... C'est cette peur instinctive, par exemple, que les itinérants éveillent en nous et qui nous incite à leur faire porter seuls la responsabilité de leur situation, comme pour échapper à la peur viscérale qu'elle ranime en nous.

L'entraide et la coopération qui permettent, par ailleurs, de recevoir en retour une image qui alimente l'estime de soi et renforce l'identité, correspondant à la motivation du second niveau, ne sont pas non plus névrotiques au départ mais elles peuvent le devenir lorsque les facteurs de motivation sont de nature obsessionnelle, alimentés par le sentiment de n'être pas à la hauteur du rôle, de la fonction, de l'image, précisément, que l'on veut projeter.

Autrement dit, à ces deux niveaux, la disposition altruiste (ou que l'on considère comme telle) est de nature névrotique lorsque les facteurs de motivation procèdent de mécanismes de défense inconscients.

NIVEAU III - PLAN SUPÉRIEUR

objet : *dépassement de soi*

Autodétermination
• actualisation du moi

«L'important avec la psychologie humaniste, c'est l'hypothèse des besoins supérieurs. Ces besoins sont considérés comme relevant aussi de la réalité biologique et inhérents à la nature humaine.»
Abraham Maslow [2]

Ce niveau est celui de la ***métamotivation*** * régie par le besoin de dépassement que Maslow définissait comme *l'actualisation de soi.* C'est le niveau qui correspond à la maturité psychologique.

Parmi les caractéristiques que Maslow a identifiées chez les individus qui cherchent à satisfaire des besoins de dépassement et d'actualisation de soi correspondant à ce niveau, on trouve, avec la créativité et le courage, **un sens développé de l'éthique.** [3]

La démarche qui tend à l'actualisation de soi, donc à la maturité psychologique, comporte, en rapport avec le sens de l'éthique, la disparition progressive de la distinction entre ses propres intérêts et ceux des autres [4]. À la faveur du développement psychologique de l'adulte, remarquait Maslow, les bénéfices personnels et ceux de la société coïncident de plus en plus. «L'observation permet d'affirmer que **ce sont ceux qui cheminent vers leur actualisation, et parmi les meilleurs sujets**

* Du grec *meta,* préposition et préfixe qui exprime la participation, la succession, le changement. Autrement dit, la motivation d'un niveau plus élevé met l'accent sur le dépassement et la transformation.

observés, que l'on trouve les individus les plus compatissants et les plus susceptibles de combattre l'injustice, les inégalités, l'esclavage, la cruauté, l'exploitation. [...] Il apparaît clairement que ceux qui s'engagent dans de tels combats se recrutent parmi les êtres les plus développés au plan humain.» [5]

Ces caractéristiques, comme on peut le constater, correspondent parfaitement à celles que Sorokin associait aux individus capables d'un altruisme créatif.

La grille de Maslow apparaît, en définitive, comme un excellent outil de travail sur soi: elle permet d'évaluer les facteurs de motivation, favorisant ainsi une démarche lucide, une évolution progressive allant de l'altruisme de comportement à l'altruisme créatif.

Parvenus à cette étape de notre démarche, il devient évident que nous ne pourrons la poursuivre qu'en cherchant le sens de l'altruisme dans l'enseignement religieux mais surtout, quant à moi, dans la *philosophie éternelle.*

Notes et références

[1] Praticien de la Gestalt, psychanalyste et anthropologue, Abraham Maslow a été l'un des créateurs de la Psychologie humaniste et plus tard de la Psychologie transpersonnelle. Considéré comme un des chefs de file de la psychologie moderne, son influence est toujours aussi grande. J'ai consacré plusieurs pages à la grille de Maslow dans *Prévenir le burn-out* (éd. Héritage), paru en France sous le titre *Vaincre le mal-être* (éd. Albin Michel).
[2] *Motivation and Personality* (éd. Harper & Row).
[3] Je me propose d'exposer l'ensemble des caractéristiques identifiées par Maslow chez les individus qui cherchent à satisfaire les besoins de ce niveau, et susceptibles de parvenir à l'actualisation de soi, dans un essai sur *Le modèle du guerrier*, à paraître dans le prochain numéro de la présente collection. Je ne retiens donc ici que les observations concernant la redécouverte des autres, de l'altruisme.
[4] C'est une des qualités que l'on trouve plus spécialement chez les individus qui sont parvenus à la seconde grande phase de la vie. Voir dans le Numéro 1 de la présente collection l'article: *La vie dont vous êtes le héros.*
[5] *Religions, Values and Peak Experiences* (éd. Kappa DELTA PI). Souligné par moi.

VI - *Les autres* dans les grandes traditions religieuses et philosophiques

«AIME TON PROCHAIN... COMME TOI-MÊME»

On retrouve l'idée que *La Voie c'est... les autres* dans toutes les grandes traditions religieuses et philosophiques de l'humanité, de même que dans les grands mythes. La tradition a toujours enseigné et enseigne encore que la Voie qui mène, selon les écoles, à l'Éveil, à l'Illumination, à la Libération, à la Réalisation du Soi..., passe par la pratique de la «règle d'or» ou «principe de l'équerre»:

«Ne fais pas aux autres ce que tu ne veux pas que les autres te fassent; fais aux autres ce que tu veux que les autres fassent pour toi.»

Voici les principales versions du message altruiste universel recensées par René Dubos [1]:

Chrétienté: **Ainsi, tout ce que vous désirez que les autres fassent pour vous, faites-le vous-mêmes pour eux: voilà la Loi et les Prophètes.** Matthieu, 7, 12.

Judaïsme: **Ce que tu tiens pour haïssable, ne le fais pas à ton prochain. C'est là toute la Loi; le reste n'est que commentaire.** Talmud, Sabbat, 31 a.

Brahmanisme: **Telle est la somme du devoir: ne pas faire aux autres ce qui, à toi, te ferait du mal.** Mahabharata, 5, 1517.

Bouddhisme: **Ne blesse pas autrui de la manière qui te blesserait.** Udana-Varga, 5, 18.

Confucianisme: **Voici certainement la maxime d'amour: ne pas faire aux autres ce que l'on ne veut pas qu'ils nous fassent.** Analectes, 15, 23. [2]

Islam: **Nul de vous n'est un croyant, s'il ne désire pour son frère ce qu'il désire pour lui-même.** Sunnah.

Taoïsme: **Considère que ton voisin gagne ton pain, et que ton voisin perd ce que tu perds.** T'ai Shang Kan Ying Pien.

Zoroastrisme: **La nature seule est bonne qui se réprime pour ne point faire à autrui ce qui ne serait pas bon pour elle.** Dadistan-i-dinik, 94, 5.

Avant de poursuivre notre questionnement à partir de certains enseignements que nous propose la tradition, et afin d'expliquer sinon de justifier le choix d'une approche philosophique plutôt que religieuse, il paraît nécessaire de nous demander comment les enseignements religieux proprement dits sont reçus par les croyants et, plus spécialement, comment les enseignements concernant l'amour du prochain sont vécus dans notre société.

Autrement dit...

...les croyants sont-ils plus altruistes?

Nous vivons à une époque de l'Histoire particulièrement stimulante. Grâce à la quantité et à la qualité des recherches qui sont faites aujourd'hui, le monde devient de plus en plus transparent. Il semble que rien n'échappe au regard scrutateur des chercheurs, plus nombreux et plus qualifiés, qui explorent la réalité sous tous ses angles. Je pense plus spécialement ici à certaines recherches faites dans les sciences humaines qui ont pour effet, entre autres, de signaler les schèmes de comportement, d'éclairer les motivations obscures... De toute évidence, nous devenons à nous-mêmes de plus en plus transparents... ce qui ne va pas sans ébranler certaines idées reçues. C'est le cas de recherches récentes visant à préciser le rapport entre les croyances religieuses et l'altruisme.

Il s'agissait de savoir si les croyants sont plus enclins que les non-croyants à l'altruisme. Or, selon de nombreux chercheurs (psychologues, sociologues...), la réponse est *non* [3].

• Une étude faite en 1950, qui portait sur les attitudes de 2 000 membres de l'Église épiscopale résidant aux États-Unis, concluait «qu'il n'y a aucun rapport positif appréciable entre l'engagement dans les activités religieuses et l'altruisme. Dans certains cas, il semblerait même exister un rapport négatif.»

• Une autre étude faite en 1960 auprès d'un groupe d'étudiants invités à répondre à un questionnaire démontre aussi qu'il n'existe qu'une faible corrélation entre la croyance en Dieu et l'altruisme... et, par ailleurs, aucune entre la pratique religieuse et l'altruisme. (Cela apparaît comme un contresens, la pratique supposant la croyance, mais on verra plus loin comment une certaine pratique religieuse peut parfois perturber la tendance altruiste.)

• En 1965, une série d'entrevues avec des adultes choisis au hasard démontre que les non-croyants sont tout aussi susceptibles d'être de bons samaritains, capables d'actions charitables et de compassion, que les croyants les plus pieux.

• Dans une expérience dont le résultat a été publié en 1973, deux chercheurs, John M. Darley et C. Daniel Bateson, ont observé que des étudiants d'un séminaire, qui se rendaient à un rendez-vous, ne portaient pas la moindre attention à un chemineau étendu dans un état misérable et gémissant à l'entrée d'un taudis. Certains des sujets observés, ô ironie!, se rendaient prononcer un sermon sur la parabole du bon samaritain...

• En 1984, on mena une enquête auprès de plus de 700 personnes de milieux différents et vivant dans des villes de densité moyenne, dans le but de déterminer si les gens plus religieux sont plus sociables, plus secourables à l'égard de leurs voisins et plus susceptibles que les autres de prendre part aux activités communautaires de nature altruiste. Cette enquête révélait qu'il n'existe aucun rapport entre l'engagement religieux et l'altruisme. Gordon Allport et Michael Ross, les psychologues qui ont dirigé cette étude, concluaient même, au contraire, que «ceux qui fréquentent l'église sont généralement plus intolérants que les autres à l'égard des groupes ethniques minoritaires.»

Dans une phase subséquente de leurs recherches, ils ont voulu savoir s'il était possible de prévoir les comportements non pas à partir de la croyance mais plutôt du mode de pratique religieuse. Ils ont ainsi pu établir que ceux dont l'engagement repose sur des valeurs *intrinsèques,* c'est-à-dire qui sont intéressés à ce qu'ils peuvent retirer de la religion dans la perspective d'un cheminement personnel, sont plus tolérants à l'égard des autres que ceux dont l'engagement est de nature *extrinsèque,* c'est-à-dire qui sont surtout attachés aux conventions religieuses. D'autres recherches (il n'en manque pas comme vous voyez!) ont du reste démontré que c'est parmi les sujets identifiés comme «proreligieux sans discernement», c'est-à-dire ceux qui considèrent que tout ce qui concerne la religion est bon a priori, que se recrutent les individus les plus intolérants.

«Il ressort clairement de toutes ces recherches, de conclure Alfie Kohn, que la croyance religieuse n'offre aucune garantie que le croyant va vivre selon la règle d'or.»

Ces recherches, il faut en convenir, ébranlent fortement les idées reçues. On aurait pu croire le contraire, comme le donne à penser l'étymologie du mot religion: de *religare,* «relier», «rattacher»... Mais il semble bien que, pour certains croyants, il n'est pas évident qu'il faille se relier aux autres pour se relier à l'**Autre en soi.**

Cette contradiction entre, d'une part, la croyance et la pratique religieuses et, d'autre part, le peu de sens altruiste peut s'expliquer par le fait que les religions transmettent un double message: celui de l'altruisme, bien sûr, mais aussi celui qui suggère aux fidèles de se percevoir, par rapport aux autres, comme un groupe d'élus en possession de la vérité. C'est ici que se profile le spectre de l'intégrisme qui représente la négation même du message altruiste qui, en principe, devrait inspirer les croyants. Le scientifique et philosophe Bertrand Russell observait d'ailleurs que: «À toutes les périodes de l'Histoire, la cruauté a été d'autant plus grande et l'état des choses d'autant plus désastreux que la religion était intense et la croyance dogmatique profondément ancrée.» [4]

Il faut bien dire en effet que les grandes religions n'ont guère donné l'exemple de l'amour du prochain. À toutes les époques et dans toutes les cultures, aujourd'hui comme hier, l'Histoire témoigne de la difficulté de mettre en pratique la règle d'or.

On observe aussi, par ailleurs, qu'en enseignant que l'être humain est né pécheur, qu'il a besoin d'être sauvé, que sa souffrance est nécessaire à son salut, les religions alimentent sans doute, plus ou moins confusément, la tendance trop humaine à justifier l'apathie devant les misères d'autrui [5].

Ces recherches, pourtant, nous mettent sur une piste intéressante. Nous avons vu que c'est parmi ceux dont l'engagement religieux repose sur des valeurs intrinsèques, c'est-à-dire ceux qui sont intéressés, au-delà des conventions et des dogmes, à ce qu'ils peuvent retirer de la religion dans la perspective d'un cheminement personnel, que l'on trouve une plus grande ouverture aux autres. L'altruisme apparaît donc ici comme l'effet, non pas d'une croyance ou même d'une pratique religieuse, mais plutôt d'une démarche de croissance, d'une recherche intérieure authentique, d'une quête spirituelle chez ceux qui voient dans les autres l'occasion de se relier à l'**Autre en soi.** Pour qui, en définitive, *la Voie... c'est les autres.*

Le résultat de ces recherches sur le rapport entre la croyance religieuse et l'altruisme a eu pour effet de renforcer chez moi la conviction selon laquelle nous devons faire l'exercice de considérer l'amour du prochain sous un jour différent, c'est-à-dire à partir d'un enseignement moins *usé* – du moins pour nous – tout en saisissant bien qu'il s'agit toujours en fait du même enseignement universel. C'est la raison pour laquelle on trouvera peu d'enseignements judéo-chrétiens dans les pages qui suivent, ce qui ne constitue pas de ma part une critique, mais témoigne de mon intention de suggérer un *nouveau regard...* Sans compter que le présent essai repose sur ma démarche personnelle et que, de ce point de vue, je ne puis témoigner que de mon expérience.

L'ALTRUISME DANS LA DÉMARCHE PSYCHOSPIRITUELLE

Ma démarche, je crois nécessaire de le préciser, ne procède pas d'une vision dogmatique. Elle se définit plutôt au plan psychospirituel ou *philosophique,* à la condition de prendre ce mot au sens large:

> «J'entends [...] ici la philosophie non pas comme 'un ensemble d'études, de recherches visant à saisir les causes premières, la réalité absolue...', mais plutôt comme une discipline 'visant à saisir [...] les fondements des valeurs humaines». C'est dire que la philosophie ne m'apparaît pas comme un exercice spéculatif et gratuit, mais **comme le moyen de chercher le sens de la vie, d'inspirer un art de vivre le quotidien et d'inciter à l'action juste.** Car la réflexion philosophique doit permettre non seulement de mieux saisir les forces en jeu, dans le monde comme en soi, mais aussi d'intervenir sur les vecteurs de l'évolution. Elle m'apparaît en fait comme un préalable à l'action juste qui devient alors l'occasion d'un cheminement conscient.» [6]

Je suis donc moins intéressé par les principes moraux que par les règles d'éthique individuelles... J'ai tenté du reste, au cours de ma recherche, de préciser la distinction que l'on doit faire entre la morale et l'éthique... C'est là une entreprise considérable! un mot étant souvent pris pour l'autre. Quoi qu'il en soit, après maints tâtonnements, voici à quelle formulation je suis parvenu *pour mon propre usage:*

- **La morale**

Les principes moraux sont des directives données par l'autorité, des lignes de conduite imposées. **Je suis «moral» lorsque j'agis par devoir.** Je me trouve alors dans la situation de l'enfant par rapport au parent. Si je me conforme aux directives de l'autorité, je suis pour autant soulagé de ma propre responsabilité de faire des choix. La faiblesse de cette approche se trouve dans l'impulsion de contester l'autorité...

• **L'éthique**

Les enseignements psychospirituels ou philosophiques proposent plutôt des principes de vie qui ressortent à l'éthique. Je suis invité à mettre en pratique ces principes afin de vivre en harmonie avec moi-même et avec les autres. **Je suis «éthique» lorsque j'agis par choix personnels.** Je me perçois alors comme un adulte qui décide de mettre en pratique certains principes dans ses attitudes et ses comportements, en fonction d'une démarche.

Cela dit, je conçois que l'un n'exclut pas l'autre: on peut recevoir des directives et choisir de les mettre en pratique... Mais la perspective, selon moi, n'est pas la même.

Le service aux autres dans les mythes

«Le héros est celui ou celle qui donne sa vie pour quelque chose de plus grand que lui.»
Joseph Campbell [7]

Les racines de l'enseignement traditionnel se trouvent dans les grands mythes. C'est dans les grands mythes en effet que l'on trouve les enseignements de sagesse les plus anciens. [8]

Tous les grands mythes proposent le modèle d'une démarche altruiste: celle du héros qui, après avoir accompli son périple, après avoir triomphé des obstacles, revient parmi les siens pour les servir et les guider. Telle est la *Voie de l'action.* Elle sous-entend que les épreuves que le héros (chacun d'entre nous!) doit surmonter à l'extérieur, dans l'action, sont autant de métaphores de celles qu'il doit surmonter en lui-même [9]. Comme le fait remarquer Joseph Campbell, lorsque le héros est parvenu à l'étape de sa quête ultime, après avoir enfin touché le but et s'être identifié au Tout, il se trouve devant une alternative: il doit alors choisir de demeurer au sommet de l'expérience ou de revenir vers les autres pour les servir et les guider. Or, tous les véritables héros, comme aussi bien tous les Maîtres authentiques, choisissent de revenir vers les autres, car le véritable objet de la quête n'est pas la libération, ni même l'extase. Le véritable objet de la quête consiste en fait à trouver dans la sagesse qui découle de cette expérience la détermination de servir les autres. Campbell précise que la différence entre un personnage célèbre, historique ou légendaire, et un héros mythique ou un Maître authentique tient précisément à ce que l'un vit pour lui-même et l'autre, pour les autres. [10]

LES ENSEIGNEMENTS TRADITIONNELS

Les enseignements des grandes traditions (ou de la philosophie éternelle dont je parle ailleurs) se définissent à deux niveaux: *exotérique,* lorsqu'ils sont destinés à l'ensemble de la communauté; et *ésotérique,* lorsqu'ils s'adressent à des individus dont la démarche est plus absolue.

Pour ce qui est du service aux autres, de l'altruisme, l'enseignement à ces deux niveaux correspond à l'éveil de la compassion en deux étapes:

- ***exotérique***

À ce niveau, les enseignements portent sur l'acceptation de l'autre dans sa *différence,* ce qui représente la première étape de l'éveil de la compassion.

C'est la tolérance à l'égard de ce qui est *autre:* qui parle une autre langue, dont la couleur de la peau est différente ou qui tout simplement appartient à l'autre sexe...; et à l'égard de qui pense et agit *autrement,* dont les valeurs sont non seulement différentes mais parfois opposées.

Le respect des autres favorise la paix et l'harmonie sociale.

Les Maîtres ont eu le souci de définir des préceptes qui permettent de mieux vivre en société. C'est donc au niveau exotérique que se définissent les enseignements véhiculés par les grandes religions.

- ***ésotérique***

Au niveau ésotérique, les enseignements portent sur la reconnaissance de l'autre considéré comme *identique* à soi et, ultimement, au Tout, ce qui représente la seconde étape de l'éveil de la compassion.

Il faut rappeler ici que les enseignements ésotériques (ou initiatiques) des grandes traditions prennent appui non pas sur la foi mais sur l'expérience initiatique. Alors que les croyances tendent à diviser, l'expérience unifie. Ces enseignements sont donc nécessairement les mêmes dans toutes les traditions, du moins quant à l'essentiel, l'expérience vécue par tous les mystiques étant de même nature.

Les enseignements de ce niveau découlent de la vision à laquelle l'expérience mystique, initiatique, permet d'accéder, vision selon laquelle tous les êtres participent de la même âme universelle, d'une seule et même conscience – du même Tout. Tel est le *secret ultime* que révèle l'expérience mystique, initiatique, à savoir que tout participe de l'Un. Les autres représentent donc le moyen le plus sûr de s'atteindre soi-même au plus profond de son être. De ce point de vue, *la Voie... c'est les autres* en ce sens qu'ils permettent d'atteindre l'**Autre en soi,** c'est-à-dire, selon les écoles: le Soi, l'Atman, Dieu...

De l'éveil du quatrième chakra...

La redécouverte des autres, de l'altruisme, ces années-ci – à supposer, comme je le pense, qu'elle soit réelle – implique qu'un certain nombre d'individus sur cette planète seraient sur le point de franchir une étape importante de leur évolution au plan de la conscience; et que, par ailleurs, à la faveur de l'évolution de ces individus, relativement plus nombreux à franchir cette étape que par le passé, la conscience collective serait elle-même sur le point d'effectuer ce que j'appellerais faute de mieux un *'saut quantique'* comparable à celui de l'éveil de la conscience d'être.

Afin de définir cette étape et de préciser la nature du travail qui nous reste à faire pour la franchir, je vais recourir à la grille des *chakras.*

Cette grille, qui nous vient de l'hindouisme millénaire, est véhiculée en fait par la plupart des grandes écoles de sagesse. Mais par suite du rapprochement entre l'Orient et l'Occident auquel nous assistons depuis le début du XXe siècle, la grille des chakras nous paraît aujourd'hui un peu moins exotique[11]. Toutefois, si son évocation vous embarrasse, puisqu'elle n'a pas encore d'équivalent dans la tradition occidentale, la science n'en ayant pas reconnu jusqu'ici l'existence, vous pouvez considérer cette grille tout simplement comme une métaphore... ce qu'elle est *aussi* du reste. Il demeure que les niveaux que suggère la grille des chakras, correspondant à autant d'étapes de l'évolution de la conscience, pour arbitraires qu'ils puissent paraître au premier abord, n'en permettent pas moins de considérer la question de l'évolution de la conscience de façon concrète.

«Vous connaissez cette idée selon laquelle l'évolution de la conscience se poursuit à travers différents centres d'énergie correspondant à des stades d'expériences qui sont comme autant d'archétypes... Cette évolution commence par les expériences animales élémentaires de faim et de possession; elle se poursuit par l'expression sexuelle; pour ensuite se manifester par une forme ou une autre de contrôle au plan physique. Ce sont jusque-là autant de stades d'expériences qui peuvent se ramener à la recherche et à l'exercice du pouvoir.

«Mais lorsque, à la faveur de l'évolution de la conscience, l'on parvient à éveiller le centre correspondant au cœur, que le sentiment de compassion se manifeste que ce soit pour une autre personne ou une créature, et que l'on réalise que l'autre et soi, nous sommes des êtres qui participons de la même vie, on franchit alors une toute nouvelle étape. Cette ouverture du cœur est parfois évoquée dans les grands mythes par la naissance virginale. Car elle correspond à la naissance à la vie spirituelle pour un être qui, jusque-là, n'était qu'un animal, vivant pour des objets physiques tels que la santé, la reproduction, le pouvoir, et un peu de plaisir.

«Avec l'éveil de la compassion, on parvient à quelque chose d'entièrement différent. Car l'expérience du sentiment de compassion, voire d'identité avec un autre, ou encore l'expérience de quelque principe qui transcende l'ego, principe qui s'impose tout à coup comme une valeur qui doit être honorée et servie, marque le commencement, une fois pour toutes, de l'expérience et de la façon de vivre proprement spirituelles. Cette prise de conscience inspire même dans certains cas une quête qui va se poursuivre toute la vie, en vue de parvenir à s'identifier consciemment à cet Un – qui comprend tous les êtres et dont toutes les formes temporelles sont autant de reflets.

«Je crois que la compassion est l'expérience spirituelle fondamentale et que, à moins que ce sentiment ne se manifeste, il n'y a rien que l'on ait...» Joseph Campbell [12]

Selon cette grille, l'Énergie cosmique (ou la Conscience universelle) se manifeste chez l'être humain à sept niveaux, en fait ou virtuellement (c'est-à-dire en puissance, à l'état de possibilité). Les chakras seraient comme autant de plexus énergétiques ou encore de «centres de force neuropsychiques et subtils situés [...] le long de la colonne vertébrale» [13], correspondant à des organes ou encore à des parties ou à des fonctions du corps physique. Chez un individu, ces chakras seraient plus ou moins éveillés en fonction de son évolution, c'est-à-dire de sa capacité de véhiculer *consciemment* plus ou moins l'Énergie/Conscience. Ce serait à cette capacité que se reporte précisément ce que l'on appelle le niveau de conscience d'un individu. On serait donc, d'après cette théorie, d'un niveau de conscience plus ou moins élevé selon la capacité que l'on aurait d'exprimer consciemment l'Énergie/Conscience à des niveaux plus ou moins élevés [14].

Les niveaux de conscience tels que les représentent les chakras se répartissent entre les deux pôles de la nature humaine que sont, au plan inférieur, l'animalité et, au plan supérieur, la divinité. En fait, tous les êtres humains se définissent à tous les niveaux à la fois mais plus ou moins à chaque niveau selon le degré d'évolution, c'est-à-dire, encore une fois, selon la capacité d'exprimer consciemment l'Énergie/Conscience. Un être moins évolué se définit donc davantage en fonction des chakras inférieurs correspondant à l'animalité; un être plus évolué, en fonction des chakras supérieurs correspondant à la divinité.

À l'étape de l'évolution où nous sommes parvenus, la plupart se définissent surtout en fonction des trois chakras inférieurs, avec des éclairs d'éveil provisoire aux niveaux supérieurs. Ces chakras inférieurs correspondent respectivement à l'instinct, à la sexualité et au pouvoir. Ce sont effectivement ici des objets qui ressortent à l'animalité. Les animaux ont les mêmes. Pour franchir cette étape, il faut donc ***éveiller le quatrième chakra,*** celui qui nous intéresse plus spécialement dans le présent contexte, qui permet d'accéder à l'éveil progressif des chakras supérieurs. L'éveil du chakra du cœur se traduit par la capacité de véhiculer consciemment l'Énergie/Conscience qui lui est propre, donc de passer de son expression inconsciente par les émotions et les passions..., à son expression consciente que l'on définit comme la *compassion.*

Pour prendre conscience du processus évolutif que suggère cette grille, elle doit préférablement être lue de bas en haut: du pôle de l'instinct vers celui de l'intuition ou encore de l'animalité vers la réalisation progressive de la divinité.

Les chakras supérieurs:

SAHASRARA: Ce chakra correspond au sommet de la tête mais comme il s'agit du niveau spirituel, celui du Soi par rapport au moi, il n'a pas comme tel de correspondance aux plans physique et psychique. L'être qui parvient à éveiller ce chakra, autrement dit, à se définir consciemment à ce niveau, est parvenu à ce que l'on appelle, selon les écoles, l'Éveil, l'Illumination, la Libération, la Réalisation du Soi...

AJNA: Ce chakra correspond à l'épiphyse (la glande pinéale) que l'on définit parfois dans l'enseignement traditionnel comme le «troisième œil» et que, symboliquement, on se représente au milieu du front, plus précisément entre les deux sourcils mais un peu plus haut. Ce chakra se rapporte à la *vision grand angle* de la réalité, qui favorise le sentiment.

VISUDDHA: Ce chakra correspond à la gorge. Il concerne la communication au sens large et se rapporte à l'éveil de l'être à sa réalité psychique.

Le chakra moyen, médian, intermédiaire:

ANAHATA: Ce chakra correspond au cœur: les émotions, les passions et, lorsqu'il est éveillé, la compassion.

Les chakras inférieurs:

MANIPURA: Ce chakra, situé à trois centimètres sous le sternum, correspond au plexus solaire. C'est le chakra du pouvoir. Du point de vue de la psychologie: l'instinct de puissance.

SVADISTANA: Ce chakra correspond aux organes sexuels. C'est le chakra de l'instinct de reproduction et du plaisir. Du point de vue de la psychologie: la libido.

MULADHARA: Ce chakra correspond à la base de l'épine dorsale et à la région anale. C'est le chakra de l'instinct de conservation, du territoire. Du point de vue de la psychologie: l'inconscient collectif.

Les sept Chakras

Comme je l'ai déjà indiqué, on peut ramener cette grille à l'expression de la polarité fondamentale *instinct/intuition:* le pôle inférieur étant celui de l'animalité de l'être, de la force primordiale, vitale, instinctive (du *ça* en psychologie); et le pôle supérieur, celui de sa divinité, de la conscience supérieure, intuitive. Le yoga, au sens large d'ascèse, de démarche psychospirituelle, vise à éveiller le pôle supérieur mais plus exactement, l'ayant éveillé, à *relier*[15] le pôle inférieur au pôle supérieur, l'énergie instinctive et l'énergie intuitive, permettant ainsi la libre circulation dans les deux sens de ces formes d'énergie. C'est seulement lorsqu'il n'y a plus d'opposition, de conflit entre ces deux formes d'énergie et qu'elles se manifestent de façon complémentaire que l'être humain vit de façon harmonieuse et qu'il est parvenu, selon les écoles, à l'Éveil, à l'Illumination, à la Libération, à la Réalisation du Soi... Dans la tradition hindoue, ces deux pôles sont représentés respectivement par *Skakti,* pôle de l'énergie féminine, et *Shiva,* pôle de l'énergie masculine. On retrouve l'idée d'une telle polarité dans toutes les traditions. Dans l'Alchimie, la fusion des deux énergies, décrite comme les *Noces alchimiques,* suppose que l'être est précisément parvenu à transcender la dualité, c'est-à-dire à atteindre l'état androgyne qui correspond ici plus exactement, selon Jung, à l'union du moi (l'ego) et du Soi (le Moi supérieur) qu'il définit comme l'*individuation.*

... ou chakra du cœur

Le moyen de *relier* les deux pôles de l'être, l'instinct et l'intuition, comme le suggère la grille des chakras se trouve dans l'éveil du chakra médian (moyen, intermédiaire) correspondant au cœur qui doit *devenir conscient,* autrement dit s'ouvrir à la compassion. C'est cette ouverture qui permet de passer du niveau de conscience correspondant aux chakras inférieurs à celui des chakras supérieurs. Du point de vue de la psychologie occidentale, on peut dire que les chakras supérieurs correspondent, en gros, à l'objet de la psychologie humaniste et, au fur et à mesure que la conscience s'élève, à celui de la psychologie transpersonnelle. Cette étape de l'évolution que représente l'éveil du cœur est parfois évoquée dans certaines traditions par l'image de la nouvelle naissance, de la naissance virginale. Mais la grille des chakras représente en fait un ensemble dont tous les éléments sont en interaction. Il faut en avoir une vision globale et non linéaire. C'est ainsi, par exemple, que l'éveil des chakras supérieurs, qui signifie que désormais l'Énergie/Conscience est véhiculée consciemment à ces niveaux, a un effet de retour sur la qualité de l'Énergie/Conscience véhiculée par les chakras inférieurs... Déjà, l'éveil du quatrième chakra a un effet de retour capital: la territorialité élémentaire (correspondant au premier chakra) se trouve alors transcendée, ce qui peut se traduire par une conscience du territoire qui s'étend à l'échelle de la planète; par une sexualité (correspondant au second chakra) qui n'est plus l'expression de motivations obscures mais plutôt d'un désir de fusion véritable; enfin, le pouvoir (correspondant au troisième chakra) se donne désormais des objectifs plus nobles comme celui de servir plutôt que d'asservir... Autrement dit, avec l'éveil du quatrième chakra l'Énergie/Conscience des chakras inférieurs se trouve ennoblie par la compassion.

L'éveil du quatrième chakra, l'éveil du cœur, qui se traduit par l'émergence de la compassion, représente donc une étape capitale de l'évolution individuelle et collective. Mais je souligne que l'éveil de ce chakra représente l'étape la plus difficile à franchir, car les deux sous-ensembles de chakras, inférieurs et supérieurs, qu'il permet de relier correspondent en fait à deux mondes différents, à deux systèmes de valeurs, à deux paradigmes. Le passage de l'un à l'autre équivaut, en définitive, à un changement d'ordre et de nature du fonctionnement. C'est donc à l'étape de l'éveil du quatrième chakra que la force évolutive rencontre le plus d'obstacles, le plus de résistances. Mais il n'y a pas d'autre moyen d'accéder à la conscience cosmique que de franchir cette étape, le moment venu.

Or, le moment paraît venu, et telle est la tâche qui nous incombe aujourd'hui: éveiller le cœur, transformer le cœur inconscient en cœur conscient, s'ouvrir à la compassion.

Comment *éveiller* le quatrième chakra?

La réponse est évidente: s'ouvrir aux autres.

Si je soulève la question, pourtant, c'est que la réponse ne semble pas évidente pour tout le monde. J'ai pu observer que dans certaines officines psychospirituelles, on propose pour éveiller le quatrième chakra des «techniques d'éveil» telles que la visualisation d'une couleur, l'utilisation d'un cristal dont on dirige la pointe vers la région cardiaque, l'acupuncture... Il suffirait donc, selon cette vision mécaniste, de trouver le bon gadget, d'appuyer sur le bon bouton pour éveiller le quatrième chakra. Comique. Je ne dis pas que certaines pratiques, certaines techniques d'éveil ne peuvent pas favoriser la circulation de l'énergie subtile. Mais ces pratiques demeurent accessoires par rapport – tout simplement – à l'**ouverture aux autres** et à l'**engagement à servir.**

DE LA COMPASSION

La compassion, qui est *un sentiment et non pas une émotion* *, procède de l'altruisme créatif. Lorsque l'on veut la définir, il faut donc écarter les motivations qui ressortent à l'altruisme de comportement bien qu'une démarche altruiste, en pratique, puisse être l'effet conjugué de l'altruisme de comportement et de l'altruisme créatif.

La compassion est parfois l'effet d'une (ou de quelques) expérience(s) intuitive(s). Par exemple, d'une expérience mystique qui permet de *voir* que tous les êtres sont reliés, que l'univers participe d'une même énergie, d'une même conscience. Mais l'expérience intuitive qui permet d'éveiller la compassion est rarement aussi claire. Autrement dit, l'extase n'est pas obligatoire... L'intuition procède le plus souvent de façon progressive, révélant petit à petit la nature des choses, à l'occasion de prises de conscience successives. Dans le cas où ce sont de telles expériences qui amorcent l'éveil de la compassion, surtout lorsqu'il s'agit d'expériences mystiques, aucun autre facteur n'est nécessaire pour que cet éveil se réalise pleinement.

La compassion est en fait, le plus souvent, l'effet conjugué d'expériences affectives, en particulier de la prise de conscience de la souffrance de l'autre, des autres, et par ailleurs du raisonnement, car les expériences affectives, les émotions, ne suffisent pas à éveiller vraiment la compassion. L'effet de telles expériences tend d'ailleurs à s'émousser rapidement... On s'accoutume aisément, il faut bien le dire, à la souffrance des autres, jusqu'à même en devenir blasé. Le spectacle de la souffrance à la télévision, par exemple, produit souvent l'effet contraire: le repli sur soi, dans son cocon confortable. Au-delà d'un certain seuil, qui varie selon le niveau de conscience des individus, le

* La compassion est ***un sentiment:*** une «conscience plus ou moins claire, connaissance comportant des éléments affectifs et intuitifs»; ***et non pas une émotion:*** une «réaction affective, en général intense, se manifestant par divers troubles, surtout d'ordre neuro-végétatif...» *Le Petit Robert*

spectacle de la souffrance des autres, dans la réalité aussi bien qu'à la télévision, comme peuvent en témoigner les touristes qui se rendent en vacances dans des pays pauvres, met en branle un mécanisme de défense instinctif dont il faut devenir conscient. De ce point de vue, il est même probable que les médias contribuent davantage à émousser chez les uns qu'à éveiller chez les autres la sensibilité et le sens de la responsabilité, en incitant à leur insu les téléphiles à considérer la réalité comme une fiction. Dans le cas où ce sont des expériences affectives qui amorcent l'éveil de la compassion, un autre facteur est donc absolument nécessaire pour que cet éveil se réalise pleinement.

Ce facteur est la *raison:* «ce qui permet à l'homme de connaître, de juger et d'agir conformément à des principes».[16] J'ai déjà à plusieurs reprises attiré l'attention sur l'importance de la raison, rappelant qu'elle est aussi *spécifiquement humaine* et le seul moyen qui s'offre pour contrer l'amplification, elle-même *spécifiquement humaine*, de l'animalité.

«L'amour du prochain... comme soi-même» étant un principe universel que l'on trouve dans l'enseignement de toutes les grandes traditions, je pourrais me référer, pour parler de la compassion, à l'enseignement de n'importe laquelle des grandes écoles que regroupe la *philosophie éternelle.*

Je choisis le bouddhisme et ce, pour plusieurs raisons:

Le bouddhisme se définit non pas comme une religion mais comme une philosophie, du moins dans le sens que j'ai suggéré précédemment. Il n'est certes pas une religion si on entend par là, par exemple, la «reconnaissance par l'homme d'un pouvoir ou d'un principe supérieur de qui dépend sa destinée et à qui obéissance et respect sont dus» [16]; ou que l'on se réfère à toute autre définition inspirée par la tradition religieuse d'Occident. C'est ainsi, par exemple, que le mot Dieu n'existe pas dans le vocabulaire bouddhique. L'idée même d'un Dieu tel que le conçoit la tradition occidentale lui est totalement étrangère. Le Bouddha lui-même s'est présenté comme un homme et non comme un *envoyé* de Dieu, qui a trouvé la vérité par son propre effort et non pas par une révélation divine.

Le bouddhisme n'impose aucun dogme auquel on doive adhérer. Le Bouddha a enseigné de fonder la certitude non pas sur la loi mais sur la connaissance issue de la raison et de l'expérience. Il a même dit: «[...] ne croyez rien parce que je vous l'ai enseigné. Après examen, croyez ce que vous aurez expérimenté vous-même et reconnu raisonnable, ce qui est conforme à votre bien et à celui des autres.» Il a même enseigné à *douter,* car le doute incite à la recherche qui elle-même conduit à la connaissance. On constate donc chez les bouddhistes une absence de tout sectarisme et de tout esprit de prosélytisme. Par ailleurs, si on écarte les fonctions sociales que le bouddhisme a consenti à assumer à des fins communautaires dans certaines sociétés, le bouddhisme *profond,* comme certains le désignent par rapport à ses diverses manifestations culturelles, n'a aucune prière, aucune liturgie, aucun sacrifice, aucun sacrement...

Cela dit, rien n'interdit d'en parler comme d'une religion: on dira par exemple que le bouddhisme est une des grandes religions de l'humanité, etc.. C'est ce que font du reste la plupart des exégètes pourtant bien informés. À la condition de prendre le mot religion dans son acception la plus restreinte, car en s'adaptant aux différentes sociétés où il s'est implanté le bouddhisme s'est plié à remplir certaines fonctions d'encadrement social. Mais c'est donc d'abord et avant tout une école de sagesse. J'ajoute parfois: un art de vivre, voire une thérapie... Ou encore, comme l'écrit André Migot [17]: «Il (le bouddhisme) est un chemin, une voie de salut, celle qui mena le Bouddha à l'Éveil; il est une méthode, un moyen d'atteindre à la libération par un travail mental et spirituel intense.» C'est aussi, par ailleurs, une métaphysique: la vision de la réalité, de l'univers et de l'homme dans l'univers que suggère le bouddhisme s'accorde très bien, du reste, à celle de la science moderne, en particulier de la physique et de l'astrophysique. Comme l'écrit plus loin Migot: «[...] le bouddhisme est la seule religion qui ne puisse entrer en conflit avec les découvertes de la science.» Cette vision en fait donc l'école de sagesse la plus à jour du point de vue scientifique. Enfin, la tradition bouddhique est la seule qui mette vraiment la compassion au cœur même de sa pratique.

Le premier des préceptes de la morale bouddhique regroupés dans le *Pentalogue* concerne la non-violence: *ne pas tuer.* Ce précepte n'est sans doute pas nouveau pour nous, le Christ en ayant aussi rappelé la valeur impérative. Mais on oublie que le Bouddha l'avait proclamé six siècles auparavant et que, depuis, le bouddhisme n'a jamais admis d'effractions à ce précepte. Il n'existe pour le bouddhisme ni *guerre sainte,* ni *guerre juste*... «On répondra à cela, comme le suppose Migot, que les pays d'Orient connaissent aussi la guerre; mais si, en Occident, les hommes font la guerre avec la bénédiction des Églises, ceux qui la font en pays bouddhiques savent qu'ils commentent une faute grave, condamnée par leur religion et qu'ils en subiront les conséquences karmiques. [...] Aujourd'hui comme toujours, le clergé bouddhique condamne formellement la guerre et ceux qui la font, comme il condamne la peine de mort quel qu'en soit le prétexte. [...] Aujourd'hui comme toujours il condamne le fait de tuer, quel que soit le prétexte invoqué par la Société. La guerre, les passions politiques, sentimentales ou patriotiques, la légitime défense, les jugements des tribunaux, rien n'excuse le meurtre, rien n'en diminue la gravité.» [17]

C'est sur ce fondement rigoureux que prend appui la pratique de la compassion, qui se traduit, comme on le verra, par un entraînement dont on ne trouve pas ailleurs l'équivalent.

Je choisis donc le bouddhisme et plus spécialement le bouddhisme tel que le véhicule la tradition tibétaine. Les Tibétains, au moment où ils étaient victimes de l'une des plus violentes tentatives de génocide (à une époque qui pourtant ne manque pas d'exemples tragiques), n'ont jamais comme peuple failli à la règle d'or de la compassion envers leurs oppresseurs... Rarement avons-nous vu dans l'Histoire une philosophie soumise à une aussi rude épreuve et dont on peut dire aujourd'hui qu'elle a triomphé.

Au moment où l'humanité est elle-même soumise à l'une des plus rudes épreuves de son Histoire, celle que représente la naissance dans la douleur de la conscience planétaire, elle paraît avoir le plus grand besoin, si elle doit en triompher et survivre, de se nourrir des préceptes de tolérance, de non-violence et de compassion, tels que le bouddhisme sait les mettre en pratique.

Le bouddhisme, pour tout dire, m'apparaît comme la philosophie, l'école de sagesse de l'avenir... Mais encore faut-il que nous ayons un avenir! Je vais donc reformuler cette audacieuse *prophétie* pour affirmer plutôt que si nous parvenons à traverser la crise actuelle, c'est que nous aurons découvert, à temps mais sans doute de justesse, que la tolérance, la non-violence, bref la compassion à l'égard de toutes les formes de vie – ce qui comprend nos rapports avec la nature – est la condition essentielle de notre survie; et que, par conséquent, la philosophie bouddhique – étiquetée comme telle ou non, peu m'importe – aura gagné les cœurs d'un nombre assez important d'êtres humains qui seront parvenus, par leurs pensées, leurs paroles et leurs actions, à influencer les vecteurs de l'évolution.

C'est la grâce que je nous souhaite!

Je ne suis pas le seul à penser que le bouddhisme est appelé à jouer un rôle déterminant dans l'avenir. Le grand visionnaire Arthur C. Clarke, scientifique, humaniste et philosophe, auteur de nombreux romans de science-fiction dans lesquels il a proposé sa vision de l'avenir, dont le plus célèbre est sans doute *Odyssée 2001* que Stanley Kubrick a adapté au cinéma, a lui-même exprimé cette opinion.

Dans un autre de ses romans [18], dont l'action se passe au début du troisième millénaire, vers l'an 2100... Clarke suppose en effet que l'influence du bouddhisme est devenue considérable.

«Il y a cent ans, explique-t-il, cette prise de position eût été inimaginable, mais les bouleversements catastrophiques du siècle dernier, tant au point de vue politique que social, avaient fourni toutes les conditions nécessaires à cette évolution. Avec l'affaiblissement de ses trois grands rivaux, le bouddhisme était désormais la seule religion à exercer un pouvoir réel sur l'esprit des hommes. [...] Seul l'enseignement du Bouddha, **étant une philosophie plus qu'une religion,** et purifié par un travail interne, conservait sa structure fondamentale.» [19]

Détail intéressant, Clarke imagine qu'à cette époque le chef mondial du bouddhisme est un occidental – d'origine écossaise! – et le premier qui soit jamais parvenu au sommet de la hiérarchie bouddhique. À propos de l'influence qu'exerce dans le monde ce chef spirituel, Clarke précise qu'il ne s'occupe pas de politique, mais qu'il lui a pourtant suffi de lever le doigt pour renverser deux gouvernements... Il fait dire à l'un de ses personnages: «Plusieurs centaines de millions de personnes suivent régulièrement ses émissions *La Voix du Bouddha* et l'on estime qu'il compte un milliard de sympathisants, bien que tous ne soient pas ses adeptes.»

L'enseignement de Tenzin Gyatso

Tenzin Gyatso, tel est le nom de Sa Sainteté le XIVe Dalaï Lama, chef spirituel et temporel des Tibétains, à qui on a récemment décerné le prix Nobel de la paix. Cet homme qui assume les lourdes responsabilités politiques et religieuses qui lui incombent, se considère quant à lui comme un simple moine bouddhiste et consacre tout le temps dont il peut disposer à l'étude et à l'enseignement. Il est, du reste, reconnu comme une des grandes autorités en matière de bouddhisme.

Son enseignement n'est en aucune façon dogmatique. Comme tous les grands Maîtres de cette tradition, il propose l'**étude de la doctrine,** qui se ramène à des préceptes de vie, et à sa **mise en pratique.**

Je ne voudrais pas, cependant, suggérer de cette philosophie une image simpliste. La doctrine bouddhique est complexe. Il faudrait plus d'une vie pour lire les textes majeurs qui la commentent. On dit même plusieurs vies... Comme je l'ai signalé précédemment, la vision de l'univers que propose le bouddhisme est très proche de celle – holistique – que suggère la science. Pour cette raison, Tenzin Gyatso, et d'autres moines bouddhistes comme lui, a consacré ces dernières années beaucoup de temps et d'énergie à se familiariser avec les découvertes de la physique, de l'astrophysique, etc. Il fréquente même volontiers les scientifiques avec qui il aime échanger. Pourtant, toute cette connaissance, ancienne et moderne, sur la nature de la réalité universelle, sur l'espace et le temps, sur l'esprit dans la matière ou encore l'esprit et la matière considérés comme deux aspects de la même conscience («Nirvana étant égal à Samsara»...), tout cela importe moins dans cet enseignement que le fait pour chacun d'entre nous de parvenir éventuellement, selon les écoles, à l'Éveil, à l'Illumination, à la Libération, à la Réalisation du Soi... Ce qui suppose que l'on parvienne d'abord à *guérir l'esprit,* au sens de mental.

À propos de la nécessité de guérir l'esprit, la **psychologie bouddhique** enseigne qu'il existe «trois poisons» qui sont:

- **l'addiction**

Le mot est pris ici au sens large de l'état de dépendance envers n'importe quoi: non seulement de la drogue ou de la nourriture mais aussi des êtres, des lieux, des biens matériels, des objets, des croyances et même... de l'image de soi!

Cette addiction se traduit par une recherche compulsive en vue de satisfaire ces désirs, car il s'agit ici non pas de besoins réels mais plutôt de désirs.

- **l'aversion**

Cette attitude se traduit par la démarche opposée, tout aussi compulsive, d'éviter ce qui résiste, ce qui s'oppose à l'addiction.

Cette démarche s'exprime par la peur, la colère, l'agressivité.

- **l'illusion**

L'addiction et l'aversion contribuent à former une fausse réalité qui repose sur des croyances, des opinions, autrement dit sur des distorsions. C'est ici l'œuvre du *mental,* dont la racine est la même que pour le mot menteur.

Telle est l'illusion comme l'entend la psychologie bouddhique. [20]

Un travail de conscientisation est donc nécessaire pour *se voir* et *voir le monde* tel qu'il est et non pas comme le suggèrent l'addiction, l'aversion et l'illusion.

Ce travail sur soi est du niveau de la Purification, après quoi devient possible la Réalisation.

Aux Occidentaux désireux de s'ouvrir au bouddhisme, Tenzin Gyatso donna un jour ce conseil: «Commencez par être plus compatissants envers autrui.» [21]

En quoi il suit l'exemple du Bouddha qui rappelait à ses disciples, quelques minutes avant sa mort, qu'il faut surtout s'employer à cultiver la compassion, à vivre en harmonie les uns avec les autres... Cette recommandation, pourtant, n'est pas pour nous surprendre, car on la retrouve dans toutes les traditions. Elle est même au cœur de la morale naturelle. Où se trouve donc l'originalité de l'enseignement bouddhique? En ceci qu'il fait de la compassion le moyen de soulager non seulement les souffrances des autres mais aussi les siennes, car le bonheur ou, pour employer un mot moins galvaudé, la sérénité est le critère de l'avancement au plan spirituel ou, plus exactement pour ce qui est de l'enseignement bouddhique, *psychospirituel.* Dans cet enseignement en effet il est souvent question de la Libération. Mais de la libération de quoi s'agit-il au juste? De la libération des souffrances, de celles qui proviennent du monde extérieur, bien sûr, mais surtout de celles qui proviennent de la nature humaine, avec ses conflits, ses contradictions, ses fausses croyances.

Dans la IIe pratique [22], Tenzin Gyatso a écrit: «Toutes les souffrances, sans exception, viennent du désir du bonheur pour soi-même, alors que la Parfaite Bouddhéité * naît du désir de rendre heureux les autres. C'est pourquoi échanger complètement son bonheur contre celui des autres est une pratique des Bodhisattva **.»

Tenzin Gyatso rappelle que l'on trouve dans le *Bodhicharyâvatara:* «Toutes les souffrances du monde viennent du désir du bonheur pour soi. Tous les bonheurs du monde viennent du désir du bonheur des autres.» Et dans la *Guru-Pûja:* «Il n'est pas nécessaire d'expliquer plus, regardez les faits: les gens enfantins ne songent qu'à leur propre confort. Bouddha ne travaille que *pour le bien des autres.»*

«Nous avons la précieuse occasion, écrit Tenzin Gyatso dans son commentaire, d'écouter les enseignements du Bouddha qui nous ont été transmis [...]; mettons-les en pratique en tenant les autres pour plus chers que nous-mêmes, **abandonnons toute attitude égoïste en en comprenant les raisons [23]:** désirer son propre bonheur est la racine de toutes les vues fausses. Se chérir est la porte ouverte à chaque chute, chérir les autres est le terrain propice à toute qualité.»

* *Bouddhéité:* l'état de Bouddha; être totalement éveillé, parfaitement accompli dans les qualités de sagesse, de compassion, de pouvoir. (Éveillé = illuminé = libéré = réalisé...)

** *Bodhisattva:* aspirant à la Bouddhéité, dont les actions et les pensées tendent à la Libération **dans le seul but d'aider tous les êtres vivants à parvenir aussi à la Libération.**

Ce sont de belles paroles. Mais les Maîtres bouddhistes savent que l'on peut se gargariser de belles paroles. Le plus difficile demeure de mettre en pratique l'enseignement, de parvenir à une cohérence entre les paroles et les actes. Or, je dirais que, sauf exception, la compassion ne vient pas naturellement. Comme le soutient l'enseignement bouddhique, un **entraînement de l'esprit (le mental) à la compassion** est nécessaire. Cet entraînement comporte des exercices qui ne sont pas sans évoquer d'ailleurs certaines techniques de déconditionnement et de reconditionnement chères aux behavioristes.

Tenzin Gyatso propose, par exemple, pour entraîner l'esprit à la compassion, de pratiquer **«l'échange de soi avec les autres»,** attitude qui consiste à se rappeler dans toutes les circonstances de sa vie la règle d'or. Voici un exercice de visualisation qu'il suggère: «Prendre et donner» *(Thong len)* et qui se pratique comme suit:

> «Réfléchir aux souffrances inhérentes à tous les êtres vivants, les examiner en détail, s'en souvenir et se les énumérer, les contempler profondément en pensant à leurs causes et à leurs résultats; engendrer une très forte compassion, puis se visualiser au centre de tous ces êtres en désirant prendre pour soi leurs malheurs et leurs obstacles, en désirant leur donner notre paix, nos propres joies. Pratiquer une profonde respiration en suivant ces pensées, visualisant que pendant l'aspiration nous attirons sur nous leurs souffrances, que par l'expiration nous leur envoyons le résultat de nos actes méritoires, notre paix, notre joie sans rien garder pour nous.»

Cet exercice de visualisation, parmi d'autres, n'est suggéré que pour étayer une démarche qui doit d'abord et avant tout prendre appui sur la *raison.* C'est sur ce point capital que porte surtout la pratique bouddhique. Voici ce qu'en dit Tenzin Gyatso:

«La compassion telle que nous l'entendons n'est pas pure *('sheer')* émotion. Car il faut réfléchir aux raisons qui commandent la compassion. Elle découle d'un raisonnement: penser que tous les humains veulent être heureux, qu'ils ne veulent pas souffrir... Réfléchir à tout cela et souhaiter libérer les autres de la souffrance.» [24]

Je souligne que la raison, dont j'ai dit à plusieurs reprises l'importance, est proposée par l'enseignement bouddhique comme l'agent, le principe même de la compassion. Dans aucune autre doctrine, philosophique ou religieuse, ai-je trouvé cette idée aussi explicitement exprimée (si ce n'est chez les stoïciens mais qui suggèrent en fait que la raison est le principe de l'art de vivre en général...), ce qui revient à dire, en somme, que le cœur a besoin d'être éclairé par la tête. Aimer son prochain, soit! Mais comment s'y prendre pour trouver en soi la *motivation* de le faire? Par la raison. Tout est là.

La compassion, estime Tenzin Gyatso, est un sentiment accessible: «La pratique de la compassion dépend de ce qu'on sait ou non comment réfléchir à la question, comment cultiver la compassion dans son esprit, ou encore de ce qu'on accepte ou non de faire l'effort. **La clé se trouve dans le fait de savoir comment utiliser l'esprit (le mental), comment ouvrir l'esprit à la compassion par le raisonnement, et de faire l'effort.»**

Plus loin, l'échange suivant me paraît particulièrement significatif:

«Q. Est-il possible en dehors d'une pratique religieuse sérieuse de poursuivre sa croissance au plan spirituel?

«R. Il n'est pas nécessaire, selon moi, d'appartenir à une religion. Si on s'emploie à développer la conscience de l'importance déterminante de la compassion et de l'amour, en cultivant une sollicitude véritable et un respect pour les autres, alors un progrès au plan spirituel est tout à fait possible même pour ceux qui n'appartiennent à aucune religion.

«Q. Mais estimez-vous que le progrès, dans ce cas, peut être vraiment significatif?

«R. Du fait qu'on est un être humain, un membre de la grande famille humaine, on a besoin de l'affection des autres. Il est très important de répondre à ce besoin en éprouvant toujours davantage un sentiment généreux à l'égard des autres et en cultivant un cœur chaleureux. Tel est le fondement de tout enseignement spirituel. Sans quoi il n'y a rien d'autre: aucune pratique spirituelle n'est possible... Ne pensez-vous pas? Mais si on adopte une attitude de compassion, le progrès au plan spirituel va nécessairement se manifester. Selon le point de vue bouddhique, celui qui a cultivé la compassion, qui a vécu honnêtement comme un être de qualité, même s'il a été un athée convaincu toute sa vie, aura après sa mort le bénéfice de son comportement; alors que celui qui a su parler de la vie dans l'audelà et du *nirvana,* mais qui ne pratiquait pas la compassion, même s'il était considéré comme un être de spiritualité, rencontrera, au contraire, plus de difficultés... C'est du moins ce que je crois.» [25]

Au cours de cet échange, l'essentiel a été dit sur la compassion et la façon d'éveiller et de cultiver ce sentiment, mais n'a fait l'objet d'aucun développement. Tenzin Gyatso, qui s'entretenait avec un bouddhiste, n'a pas éprouvé le besoin de rappeler plus précisément certains points de cet enseignement.

«La vie est difficile» [26]

Il faut savoir en effet que l'enseignement du Bouddha commence par cette affirmation: «Tout est souffrance.» Il s'en trouve pour penser que cette formule témoigne d'une vision pessimiste. Mais pour comprendre la démarche suggérée par le Bouddha, il faut savoir que «tout est souffrance» parce que la vie comporte certaines expériences, auxquelles personne ne peut se soustraire, qui entraînent une souffrance. En particulier quatre expériences de vie:

La naissance...

La naissance est souffrance parce qu'elle comporte l'expérience du rejet, qui sera par la suite l'archétype de tous les rejets, suivie par une adaptation difficile à un milieu perçu comme étranger ou étrange, voire parfois hostile. La naissance est aussi souffrance parce que l'être se trouve désormais réduit à sa réalité psychosomatique.

... et la mort

La vie est souffrance parce qu'elle va se terminer, que l'on en soit conscient ou non, par la mort. Il faudra alors renoncer au véhicule auquel on s'est identifié, expérience qui comporte aux yeux de certains le risque de cesser d'être. Autrement dit, il faudra renoncer à soi-même ou à cet aspect de soi-même, selon la perception que l'on a de la mort; et renoncer au monde, aux désirs, aux attentes qu'il inspire encore dans la plupart des cas.

La naissance et la mort sont les deux pôles de la tragédie du temps, de l'*impermanence de toutes les choses et de soi-même*. Entre ces deux événements que sont le début et la fin de la vie humaine, il y a la maladie et la vieillesse.

La maladie...

La maladie, inutile d'insister sur ce point, est souffrance: tout ce qui se traduit par une diminution de soi, physique ou psychique.

... et la vieillesse

La vieillesse est toujours, quelles que soient les conditions particulières, une expérience difficile dans la mesure où elle entraîne déjà un renoncement progressif à soi-même et au monde.

La maladie et la vieillesse, en tant qu'expériences de diminution, participent de la mort. La naissance elle-même, en fait, marque le début d'un processus qui se termine par la mort. La vie peut donc être considérée comme un processus de mort. D'où la formule «La vie est dans la mort et la mort dans la vie...». Mais il faut, pour reconnaître *la mort dans la vie,* une vision juste des choses qui n'est pas elle-même sans souffrance... «La lucidité, disait le poète René Char, est la blessure la plus proche du soleil.» Toute la souffrance humaine peut se ramener, en définitive, à l'impermanence, à la tragédie du temps.

Cela dit, le Bouddha n'a jamais enseigné qu'il est impossible d'éprouver de la joie. Son enseignement vise même, au contraire, à permettre à chacun d'entre nous de parvenir à la joie, non pas après la mort mais ici même, au plan matériel où nous sommes... Mais il convient de faire une distinction entre la joie et le plaisir. S'il est vrai que nous pouvons au cours de la vie éprouver du *plaisir,* il faut être conscients que le plaisir ne vient jamais sans la *peine.* Toujours à cause de l'impermanence de toutes choses. Comme le disait John Lennon: *«What goes up must come down!»* Sans compter que la vie au plan matériel se manifeste dans la *dualité,* mot qu'il faut aussi entendre dans le sens d'ambiguïté et de contradiction.

Il est pourtant possible d'éprouver de la *joie,* un sentiment qui échappe à la dualité, mais à la condition précisément de transcender la dualité. La joie est un état d'esprit qui se définit au-delà de la dualité plaisir/peine, car elle est *sans objet...* Elle suppose d'aller avec la vie, de couler avec le temps sans résister, en s'adaptant à toutes les situations mais sans perdre le point d'ancrage de son être: la conscience de ce qu'il y a de permanent, de stable en soi. Mais pour parvenir à cet état d'esprit, à ce *nirvana,* nous devons renoncer et aux désirs, qui nous projettent devant, et aux regrets, qui nous retiennent derrière. Le mot désir, bien qu'on le retrouve souvent dans l'enseignement, ne me paraît pourtant pas le plus juste car il est souvent associé aux passions; je préfère, quant à moi, parler des attentes. Il nous faut donc aussi renoncer aux attentes. Ce qui est beaucoup, j'en conviens. Mais, déjà, en allégeant les désirs et les attentes, on éprouve un certain sentiment de libération, de faire *un* avec les événements. Cette attitude permet de vivre davantage l'instant présent, d'apprivoiser l'*ici et maintenant.* Une telle attitude exige, toutefois, une démarche aussi rigoureuse qu'assidue, une démarche dont on dit, comme je l'ai déjà signalé, qu'elle est aussi difficile que d'«avancer sur le fil d'un rasoir...», afin de se définir quelque part entre le relatif, le monde de l'impermanence, et l'absolu, le monde de *ce qui est.* Quoi que l'on fasse en effet, il n'est jamais possible d'échapper à l'obligation où nous sommes de vivre la vie, jour après jour, et d'assumer son destin.

C'est donc dire que, pour tout le monde, la vie est souffrance... Elle l'est non seulement pour moi mais elle l'est pour vous; et non seulement pour vous et moi mais elle l'est aussi pour... *les autres.*

Tel est le raisonnement, ou plutôt un raisonnement parmi d'autres, qui permet d'éveiller la compassion. Si tout est souffrance en effet, pourquoi faut-il en rajouter, pour soi-même bien sûr, mais aussi pour les autres? Ne sommes-nous pas tous à vivre au plan matériel des expériences de même nature, qui sont nécessaires dans la mesure où la prise de conscience de notre situation, de la souffrance en somme, représente le facteur le plus déterminant de l'éveil. «En rajouter? Jamais, dit quelque part Tenzin Gyatso en riant, je n'ai jamais dit ça...» Assumer en pleine conscience la souffrance inhérente à l'expérience de vivre suffit à progresser sur la Voie.

N'en pas rajouter suppose qu'il faut vivre en se respectant et en respectant les autres: ne pas les bousculer, ne pas les heurter, ne pas les blesser par des paroles, des actions – et même des pensées – qui peuvent causer *plus de souffrance.* Autant que faire se peut, bien entendu, car il est impossible d'échapper à la contradiction inhérente à la vie au plan matériel. Il est impossible de ne pas être parfois une cause de souffrance pour les autres. Il arrive que la fonction ou le rôle social, ou tout simplement les circonstances de la vie, obligent à prendre des décisions qui seront inévitablement une source de souffrance pour ceux qui devront en subir les effets. Mais encore faut-il ne pas chercher dans la fonction ou le rôle social, ou dans les circonstances de la vie, une rationalisation d'attitudes et de comportements injustes. Il faut toujours agir envers les autres de manière à pouvoir se regarder en face sans honte. Ce qui nous ramène à la règle d'or: *«Ne fais pas aux autres ce que tu ne veux pas que les autres te fassent; fais aux autres ce que tu veux que les autres fassent pour toi.»* C'est ici que l'exercice que suggère Tenzin Gyatso, de «l'échange de soi avec les autres» prend tout son sens.

Quant à savoir qui sont les autres, je rappelle que pour le Bouddha, ce sont toutes les formes de vie, des plus proches aux plus éloignées, des plus semblables aux plus différentes, des plus sympathiques aux plus antipathiques...

Le travail sur soi consiste donc, en définitive, à s'imposer inlassablement ce raisonnement, telle une ascèse, jusqu'à ce que l'on parvienne à intégrer la compassion dans ses rapports avec les autres, jusqu'à l'incarner dans sa vie de tous les jours, non pas comme un concept abstrait mais comme une seconde nature.

C'est du moins ce que je crois...

En guise de conclusion...

> **«La philosophie doit apprendre à vivre et non à faire des discours.»**
> Sénèque.

Je pense avoir écrit sur la redécouverte des autres, de l'altruisme ce que confusément je souhaitais en écrire. Au fur et à mesure de mon cheminement, qui ne fut pas linéaire mais au contraire fort éclaté, considérant tous les aspects à la fois, je pense avoir à peu près éclairé la question pour moi-même. C'est en effet d'abord pour moi-même que j'ai entrepris cette démarche. Il me reste maintenant à incarner davantage et de plus en plus la compassion dans ma vie.

Mais étant communicateur, j'espère avoir aussi contribué à éclairer la question pour les autres qui ont été le prétexte de ma démarche...

Comme quoi, *la Voie... c'est les autres.*

... et d'épilogue

> **Mais quand les hommes vivront d'amour**
> **Qu'il n'y aura plus de misère**
> **Peut-être songeront-ils un jour**
> **À nous qui serons morts, mon frère.**
> **Nous qui aurons aux mauvais jours**
> **Dans la haine et puis dans la guerre**
> **Cherché la paix, cherché l'amour**
> **Qu'ils connaîtront alors, mon frère.**
> Raymond Lévesque [27]

Notes et références

[1] *Choisir d'être humain* (éd. Denoël/Gonthier).
[2] Voir dans le nº 1 de la présente collection à la rubrique *Pour une philosophie de l'action* mon essai sur *Maître K'ong, dit Confucius* dans lequel j'ai regroupé et commenté quelques aphorismes du grand Maître dont plusieurs sur le *Jen/* la compassion (page 129).
[3] Les renseignements qui suivent sont tirés d'un article d'Alfie Kohn, *Do Religious People Help More? Not So You'd Notice* IN *Psychology Today* (déc. 1989); et d'un ouvrage dont il est l'auteur, paru récemment: *No Contest: The Case Against Competition* (éd. Houghton Mifflin).
[4] *«The more intense has been the religion of any period and the more profound has been the dogmatic belief, the greater has been the cruelty and the worse has been the state of affairs.»*
[5] Les recherches dont il s'agit ici portent sur les religions d'Occident. Je crois donc nécessaire d'ajouter que dans la tradition orientale, *la loi du karma*–selon laquelle les êtres humains doivent assumer dans la présente incarnation les conséquences de pensées, de paroles et d'actes d'incarnations précédentes–est parfois interprétée de façon erronée, servant aussi de justification pour ne pas intervenir. Mais je précise que rien dans l'enseignement n'autorise une telle interprétation.
[6] *Pour une philosophie de l'action,* IN Nº 1 de la présente collection, p. 114. Les citations sont elles-mêmes extraites du *Petit Robert.*
[7] *The Power of Myths* – with Bill Moyers (éd. Doubleday).
[8] Voir, dans le nº 1 de la présente collection, mon essai intitulé *La vie dont vous êtes le héros,* pages 21 et 22, puis 25 à 27.
[9] «Les obstacles que l'homme rencontre sur sa route ont des visages multiples et les chemins légendaires sont parsemés de monstres à l'aspect terrifiant ou séduisant, selon le monde que l'on porte en soi. Mais il apparaît de plus en plus clairement que le combat mené par l'homme concerne surtout sa propre nature.» Jacques Lacarrière, *En suivant les dieux*–Le légendaire des hommes (éd. Lacombe).
[10] Roger Walsh, dans une entrevue accordée à Paule Lebrun dans le *Guide Ressources,* sept./oct. 1988 vol. 4, nº 1, rappelle que «l'historien Toynbee a observé chez tous les sages–Bouddha, Lao Tseu, Socrate–ce va-et-vient: se retirer de la société et plonger dans le monde intérieur pour ensuite en émerger et retourner vers les hommes. Il appelait cela le cycle de retrait et d'émergence.» Et Walsh d'ajouter: «Nous avons besoin actuellement de gens qui se permettent ce cycle. De gens matures psychologiquement et spirituellement, qui acceptent de revenir sur la scène sociale.» Roger Walsh est l'auteur de *Staying Alive, the Psychology of Human Survival* (éd. New Science Library), paru en français sous le titre: *Survivre à l'An 2 000*–Psychologie pour la survie de l'humanité (éd. de Mortagne), introduction par le Dalaï Lama et Linus Pauling, préface de Jacques Languirand, accompagné de l'entrevue de l'auteur par Paule Lebrun.
[11] Des chercheurs de diverses disciplines s'intéressent depuis peu en Occident à cette grille. On trouve aujourd'hui aux États-Unis une médecine chakrique et une pratique de ce que l'on appelle la *chakra-therapy.*
[12] Ibid. L'adaptation est de moi. Je rappelle qu'il s'agit ici d'une communication orale.
[13] Hervé Masson, *Dictionnaire initiatique* (éd. Jean-Cyrille Godefroy).
[14] La question des chakras est infiniment complexe. Je n'en retiens ici que les éléments susceptibles d'éclairer la question de l'altruisme.
[15] Yoga vient de la racine sanskrite *yog,* qui a donné en français «joug», et dont le sens premier est: rattacher, atteler ensemble, relier le bas et le haut, le féminin et le masculin, l'animalité et la divinité, la conscience individuelle et la conscience cosmique, etc. Curieusement, mais à la réflexion ce n'est peut-être pas aussi curieux, le mot yoga aurait le même sens que, selon la racine latine, le mot religion...
[16] *Le Petit Robert.*

[17] *Le Bouddha* (éd. Complexe).
[18] *Les prairies bleues* (éd. Albin Michel).
[19] Souligné par moi.
[20] Le Dr Roger Walsh consacre plusieurs pages à la psychologie bouddhique dans son ouvrage *Survivre à l'An 2 000* – Psychologie pour la survie de l'humanité(éd. de Mortagne). (Voir la note [10].)
[21] IN *La Presse,* 8 oct. 88.
[22] *L'enseignement du Dalaï-Lama* (éd. Albin Michel), traduit du tibétain par G. Tulku, G. Dreyfus et A. Ansermet.
[23] Souligné par moi.
[24] *The Fullness of Emptiness – an interview with his Holiness the Dalaï Lama* par Robert A.F. Thurman, IN *Parabola,* volume X nº 1. Le Dr Thurman est professeur de religion au Amherst College et fondateur de l'Institut américain des études bouddhiques *(American Institute of Buddhist Studies).* Il est un vieil ami de Tenzin Gyatso et l'un de ses étudiants. L'interview s'est déroulée en anglais et en tibétain. Dans mon adaptation française, j'ai contourné comme j'ai pu les mots tibétains! Il faut aussi tenir compte qu'il s'agit ici d'une communication orale.
[25] Tensin Gyatso ponctue souvent ses propos par cette formule: «C'est du moins ce que je crois», signifiant sans doute par là qu'il faut éviter tout dogmatisme et ne pas chercher à imposer sa vision aux autres.
[26] Telle est la première phrase d'un ouvrage qui a connu ces dernières années un très grand succès: *Le chemin le moins fréquenté* – Apprendre à vivre avec la vie (éd. Robert Laffont) dont l'auteur est le Dr M. Scott Peck. Bien qu'il n'en fasse pas fait mention, cette phrase me paraît faire écho à celle qui amorce l'enseignement du Bouddha: «Tout est souffrance.»
[27] Raymond Lévesque, *Quand les hommes vivront d'amour... Chansons et poèmes* (éd. l'Hexagone).

LA VOIE INITIATIQUE, Jacques Languirand

Une synthèse des grands principes de la pensée ésotérique. Un livre pour commencer une démarche ou pour faire le point. Un «classique». (Éd. de Mortagne).

MATER MATERIA, Jacques Languirand

Le Principe féminin. La Nature. La Matière. «Si une civilisation nouvelle doit naître, c'est du principe féminin renouvelé et de la femme retrouvée qu'elle naîtra.»(Éd. de Mortagne).

VIVRE ICI/MAINTENANT, Jacques Languirand

Une interrogation sur l'éclatement de notre civilisation et la naissance d'un Nouvel Âge. Émergence de valeurs nouvelles, individuelles et collectives. *Textes revus et augmentés de la série télévisée.* (Éd. de Mortagne).

LA MAGIE DES NOMBRES, Jacques Languirand *(de McLuhan à Pythagore)*,

Un livre-mosaïque qui s'adresse aux agents de transformation du «village global». Les règles fondamentales de la communication sont les règles de la magie. Les règles de la magie sont les règles de l'harmonie universelle. (Éd. de Mortagne).

UNE RELIGION SANS MURS, Placide Gaboury

Un essai, une réflexion sur l'autonomie personnelle et spirituelle. Vivre sa propre vie, suivre sa propre voie. Ce livre est un guide, un compagnon sur la voie. (Éd. de Mortagne).

et aussi

PRÉVENIR LE BURN-OUT, Jacques Languirand

Les causes du burn-out et les moyens de le prévenir ou de le guérir. Ce **livre**, qui suggère un art de vivre, est accompagné d'une **audio-cassette:** une technique de relaxation et un programme d'entraînement mental. (Éd. Héritage).